ことばと世界が変わるとき

朝倉友海
Asakura Tomomi

ことばと世界が変わるとき

意味変化の哲学

朝倉友海
Asakura Tomomi

トランスビュー
TRANSVIEW

はじめに

もし言葉の意味がころころと変わってしまうなら、他人との間にコミュニケーションは成り立たないだろう。そのため言葉の意味は、少なくともある程度は固定化していることが望まれるのだが、それでもなお意味は変化するし、変化し続けているように見える。単語の指すものの内実が変わったり、同じものを指していたとしても受け止め方が変わったりする。同じ一つの文の意味も決してずっと同じであり続けるわけではない。重要な経験を経ることによって、同じ言葉を用いつつも表現内容がすっかり変わってしまうということだってある。

誰もが知っているこうしたごくありふれた事柄が、本書の考察対象である。一見するとまったく別々の現象に思われる意味変化の場面に目を向け、それらを貫くものを明らかにしたい。

この筆者の願いは、意味が容易には伝わらない経験や、意味が劇的に変わっていく経験に根差している。その例の一つが、私が子供のとき母親から繰り返し聞いた、「かなんところにロマンがある」という言葉である。「かなん」とは「かなわない、イヤだ」という意味の関西弁であり、「イヤだなぁと思うところに可能性がある」ということだと子供でも分かる。だが、これがやがて私にとって意義深い言葉、ほとんど座右の銘のようになっていくには、長い時間がかかった。つまり、この言葉の意味は、大きく変わっていったのだ。

意味が分かっていなかったと、このように後になってはじめて気づくことがある。私は今では教師を生業としており、「教える」場面で意味の伝わらなさを日々痛感している。たとえ授業内容をしっかりと伝えており、学生も分かっているように見えても、いざ試験をすれば実は伝わっていなかったことが判明して戸惑うことが多々ある。どうも教え方が悪いわけではないらしい。というのも、後から学生に「授業の時は分かっていたつもりなのに不思議だ」という感想を聞くからだ。意味が分かったのに分かっていなかった、後になってはじめて意味が見えてきた――こうしたありふれた経験はなぜ、あるいはどのように、起こるのだろうか。

意味の変化がとりわけ顕著に見られるのは、すぐれた書物や作品に出会ったときのように、世界の見え方ががらりと一変する体験においてである。何かにふれて人生が変わるほどの衝撃を受けるのは、若者の特権とも言えよう。感受性が高いのは、必ずしも若い人だけに限られないにせよ、芸術や哲学に触れて世界の意味合いが揺らぐことが起こりやすいのは、やはり若い時分であろう。

逆に言えば、物事の意味が一変するような経験が大人になるにつれ減っていくのは、安定した意味世界を構築することが、すなわち成長することだからだ。衝撃を受ける体験を経て大人になるにしても、いつまでも世界の見え方が揺らいでいては困るのだ。

意味の揺らぎが小さくなり、いわばどうでも良い現象になっていくのは、人の一生だけに限られたことではない。先ほど、すぐれた書物や作品に出会ったときと述べたが、こうしたことが人生を変える大きな出来事となった時代は、もはや過ぎ去ったようにも思われる。一人の人生だけでなくあたかも一つの文化世界についても、感受性の衰えを言いうるかのようだ。世界を大きく変貌させるのは科学技術、とりわけ情報技術であり、企業がもたらすアイディアである——そう言う方が賢明なのかもしれない。そして芸術にも哲学にも、もはや意味を固定化させるか、せいぜい制御する役割しかないというのが、高度に成熟した資本主義の「文化」の姿ではないだろうか。とりわけ東アジア各国のような高齢化社会は、すっかりかつてのような感受性を失ってしまったかのようにも見える。

だが、もう少し文化に期待しても良いし、大人であっても意味の揺らぎや変化を積極的に楽しんで良いだろう。新しい物事や作品は、従来の凝り固まった意味を解きほぐす役目をもつ。それだけでなく、古くから守り伝えられてきたものの中には、意味を固定化させるどころか、それに触れることで意味が揺らぎ変わっていく経験がすぐれて得られるものが、やはりある——逆説的に見えようとも、そう期待して良いし、あえてそう述べる必要もある。実用に役立たないと言われる文学や芸術作品などが、幾多の危機を乗り越えて、命に代えてでも守り伝えられてきたのは、それだけの力を秘めたものだからだ。世界の眺めを一変させる力、安定した意味世界を揺さぶる力を文化はもっており、これは私たちが生きていく上でも大切なのである。

本書が目指すのは、もちろんそうした作品に代わって意味の変化をもたらそうということではない。意味が変化するとはどういうことか、とりわけ私たちの有りようを一変させるかのように見える意味変化において、いったい何が起こっているのかを、明らかにすることである。意味変化をめぐる問いは、衝撃的に意味が一変するような体験さえも、一時の偶然に任せるのではなく、しっかりと把握したいという願望に根差している。

そうであるならば、考察は「意味」とはそもそも何なのかという問いと不可分であるとも考えられよう。それだけでなく、「自己」とは何か、「出来事」とは何かといった、哲学では一般的によく知られたさまざまな問題と交錯しながら、考察を進めることになる。それほど大きな問題に限られた紙幅の中で取り組むと言うのだから、いかにも大それた試みだと訝しく思われるかもしれない。本書の関心は別の所にあるにせよ、「意味」とは何かといった哲学上の大きな問題について、これまで論じられてきた幾多の議論を紹介して整理することだけでも、非常に大変なことになることは目に見えているのだから。

もし、これまでの学説の手際の良い紹介を本書に期待するならば、裏切られることになるかもしれない。もちろん、学術的な成果をまったく無視して考察を進められる問題ではないことは確かだが、学問としての哲学には「借り物」による思考以外は成立しえないようなイメージがある。有力な説の解説こそが哲学だという考えが歓迎されるようだ。しかし、学説を前提として考察を進めることによる弊害が無視できないほどに大きいことを、筆者は尊敬する幾人かの哲学者に教えられた。

本書では、できるだけ他人から学んだことの紹介になることを避けるような仕方で、そのために可能なかぎり前提知識などを必要としないようにして、考察を試みる。だからこそ、議論は行きつ戻りつを繰り返しながら進んでいく。文献を挙げるのも必要最低限にとどめ、いくら不格好となろうともできるだけ「手作り」で議論を試みようとした。もしかすると、そのような手作りの考察には「意味がない」と言われるかもしれない——そういう意見を十分に予想しつつ、まさにこうした言明の「意味」もまた変わりうることこそが、示したい事柄である。そのため、細部にこだわらずにできるだけ最後まで読み通していただきたい。

ことばと世界が変わるとき——意味変化の哲学 ＊ 目次

I　意味変化という主題

1　意味をめぐる問い

言葉の「意味」とは――接続詞と動詞を手がかりに

「意味」という概念は、馴染み深いものであると同時に、つかみどころがないものでもある。面倒くさがらずに初歩的なところから話を進めていこうとすると、もっとも取っ付きやすいと思われる単語の意味から始めるのが良いように思われる。言葉とかかわるかぎりでの「意味」として、まずは私たちが慣れ親しんでいるはずの日本語の意味を手がかりに話を始めたい。個々の単語の意味から始め、文単位での意味、さらに文相互が織りなす意味へと、ひとまず論を進めていく。

言語哲学では、言葉の意味と言われるものの中に、大きく二種のものを区別しなければならないと説明されることが多い。言葉によって伝えられるものとして真っ先に思い浮かべられるのは指示の働きであり、言葉が指し示すところの指示対象である。と同時に、明らかにそれとは別の種類のものが、つまり指示以外の何かが、言葉の使用にはともなっている。大まかに言えば「指示対象の与えられ方」あるいは「指示対象の考え方」であり、それが指示の働きと区別された狭義の「意味」作用であるという説明が、多くなされている。この区別だと、まだ多様なものが「意味」として一括りにされるように思われるけれども、ひとまずこの区別を基本として考察を進める。

まず言えることは、指示対象よりも意味内容の方がより豊富で多様に見えることだ。金星を指し示すのに、「宵の明星」と「明けの明星」という異なった表現が用いられる。[1] 一つの指示対象に対して、二つの表現がもつ二つの異なった「意味」がある。同じ指示対象に対して複数の表現があり、異なった表現は指示対象の異なった「与えられ方」であるのだから、指示対象の領域よりも、意味の領域はより広いと想定される。

さて、言葉の意味としてまず思い浮かぶのは単語レベルでの語の意味であり、それを知りたければ、とりあえず辞書を見れば良いということになる。後に述べるように、これが「意味」という概念をめぐる混乱を引き起こすのであり、いきなり文から始める方がひょっとすると良策かもしれないのだが、ひとまずこれを出発点とする。逆に言うと、単語レベルの説明では分

[1] この哲学史上の常識とされる例は、フレーゲが用いたことで有名である。明け方の東の空に輝く星と、日没後に西の空に目立つ一番星は、言葉上の意味内容は（場合によってはそれらが指すと思われるものも）異なるが、指示対象は同じ金星である。

かりにくくても、気にせず先に進んでもらいたい。

そこで手始めに「そして」や「または」といった接続詞へと目を移す。いささか不自然かもしれないが、単語レベルであることには変わりないのだから、構わないとしよう。「そして」や「または」に対応する指示対象は何であろうか。こう問うてみれば、そんなものはないという答えが返ってくるだろう。目の前に「そして」や「または」があるということは、ない。たとえ今、机の上にミカンが二つあるとしても、それは「そして」(「と」という助詞の方が分かりやすいので以後は置き換えよう)や「または」を示す実例として役立たない。接続表現は、具体的な指示対象をもつようには見えないのである。

「と」や「または」の指示対象とは何か。この問いに具体例をもってすぐに答えることができないのは、こうした語の役割が、すぐれて記号操作にかかわるものとなっているからである。つまり、純粋に言語上にしかないような働き、この場合は特に、二つのものや文などをつなぐという形式的な働き、つまり論理的な働きを担っているからだ。こうした語は、固有名詞とは異なり、外界の何かを指し示すような言葉ではない。あえて先の区別を用いるならば、こうした語には狭義の「意味」しかないということだろうか[2]。

とはいえ、意味について考えるにあたって手始めに接続表現へ目を向けるというのは、不自然きわまりない話の運び方のようにも思われよう。こうした語はあまりに論理的で人工的であり、赤ん坊がしゃべり出すような言葉ではない——そう感じるのも、もっともなことである。それに対して、固有名詞のような言葉、もう少し便利な用語を使えば「単称名辞」(つまり、一つのものだけを指す名前)ならば、もっと自然に感じられるであろう。そして、単称名辞に関してその(広義で言う)「意味が分かる」とは、具体的な指示対象が何であるかを理解することであろう。名詞から始めるべきだったのかもしれない。

では、一般名詞が指すのは何か。これもおそらくは特定の指示対象であるが、単称名辞の場合とは、やはり異なっている。「ミカン」は、この一つのミカンしか指さないわけではなく、もう一つの別のミカンをも指すことができる。対象として思い浮かべられるものは、数ある対象のなかの「一例」だということになる。あるいは、それらをまとめた集まり(「ミカン全般」のようなもの)こそが、指示対象であるとも言えよう。[3]

一般に、指示対象のたんなる集まりに着目するのは「外延」的な見方と呼ばれ、指示対象の

［2］この点に関して、後述するフッサールのほかには、ラッセルの議論が有名である。ラッセルは、「普遍」を論じる文脈においてであるが、「エディンバラはロンドンの北にある」という例を用い、「の北に」は「物的でも心的でもない」ことを論じている。ラッセル『哲学入門』(高村夏輝訳、ちくま学芸文庫、二〇〇五年、第九章)

［3］やがて見るように述語論理を用いれば、一般名詞もまた述語にほかならない。なお、ここでは単称名辞について、現実との対応を最初から前提して話を進める。この点について、たとえば推論主義(後述)のように、置換による推論上での振舞いと、それによる同値類への分割といった説明を行うことができるにしても、ここでの関心からは逸れる。

集まりがもつ性質に注目するのは「内包」的な見方と呼ばれる。こうして、外延に対する内包が、意味に代わる概念とされたりもする。これはかなり有効な考え方ではあるが、用い方によってはたんに「非外延的」と言っているだけにもなりかねない。また、内包的に考えることで、一般名詞が指すのは具体的な事物ではなくて、私たちの目には見えない抽象的な指示対象、イデア的・理念的な対象であるという印象が強くなるかもしれない。「ミカン全般」のようなものが実際に存在するのだ、という古くから哲学にある考え――いわゆるリアリズム――だが、そうだと言い切るのはいかにも苦しいように感じられる。

接続詞と異なり、名詞は確かに言葉の中心にあるように見えるし、それが指している指示対象をイメージしやすいものの、指示対象と区別されるところの「意味」がどこにあるのかを、あまりはっきりとは見せてはくれない。一般名詞を使って説明しようとしても意味はその姿をほとんど見せてくれないのである。したがって意味の説明に際して名詞を用いたとしても、やはりすんなりとはいかないのだ。

接続詞のような不自然なものでなくとも、単語レベルでもそれを用いて意味を浮かび上がらせることができる品詞がある。名詞と並んで基本的と思われる動詞が、そうである。[4]さしあたって見ておきたいのは、動詞はいったい指示対象をもつのかどうかという点である。「歩く」「する」という言葉の意味を知っているというとき、それらが具体的にどういった例を指し示し得るのかを承知しているはずだ。

だが、動詞についてもまた、それらの指示対象を、少なくとも指さす仕方では示すことができない。目の前の「歩く人」を指さすことはできても、「歩く」を明示したことになるだろうか。かといって、「歩く」を「足を動かして前に進む」とより説明的に言い換えても、状況は改善しない――「走る、小走りする、牛歩する、ウォーキングする」などもこれに当てはまるからだ。さらなる詳細な規定が必要となるが困難をきわめる。

動詞のこの特徴は、一般名詞の場合と似ているが、より際立っている。特定の、個別的なものを指しているわけではない点が、より目立つのだ。目の前の人を指したからといって、それは人の一例だとすんなり理解できるかどうかには不安がつきまとう。もしかすると「歩く動物」だとか、あるいは「人肉」であるとかを指すと捉えられるかもしれないからだ。[5] だが、この点では、名詞よりも動詞のほうが、より困難は高い。なぜなら、「人」の一例を物体として隔離して示すことと比べれば、「歩く」だけを動作主から隔離して示すことの方が、やはり困

[4] 言葉は動詞から始まったとする見方を取り上げることはしないが、一般名詞などはむしろ動詞の一種と考えた方が良いという見方は後に詳しく取り上げる。

[5] 「指示の不可測性」と呼ばれるこうした問題について、よく知られた例は、「ウサギ」に相当する語「ガヴァガイ」をどう学ぶかである(クワイン『ことばと対象』大出晁・宮館恵訳、勁草書房、一九八四年)。なお、固有名詞とは異なり、「固有動詞」「固有形容詞」のようなものはないという点については、松永澄夫が豊富な例を用いて論じている。『想像のさまざま』(東信堂、二〇二二年)一五九頁などを参照されたい。

難だと考えられるからだ。

そのため、動詞については、指示対象とは区別された別の側面が、つまり指示対象の私たちへの与えられ方、それについての私たちの考え方が、主要な内容（つまり狭義の「意味」）となっていると考えられる。指示の働きとは区別されたところの意味の側面が、動詞にとってはむしろ中心的である。指示を主とするように見える名詞に対して、動詞はすぐれて「意味的なもの」であると言えよう。

少なくとも、動詞で示される内容は言葉に深く根差している。それでもまだまだ対象と結びついているようにも思われる点で、接続詞などと異なり、動詞は言葉としてより自然的である。他の品詞も軽く見ておくと、助詞や英語などの前置詞は接続詞と同じように言語上でしか果たせない役割を担っているし、形容詞「きれい」や副詞「ゆっくり」については、指示対象をはっきりと指し示すのが難しいことに関して、一般名詞や動詞と同じような性質が見られる。

浮かび上がる「意味」——単語から文へ

ここまでの内容を、少しまとめてみよう。狭義での「意味」は、物質的な世界にあるものを指示するのとは異なった機能である。同じ指示対象をもつ異なる表現があり、異なる表現はやはり異なる意味をもつということから、指示よりもより広い領域を狭義の「意味」はもっている。動詞はこの点で際立っている。また、言葉の中には、明らかに論理操作にかかわるような接続表現のように、そもそも外界には指示対象をもっておらず、したがって狭義の「意味」しかもっていないように見えるものがある。

一般に、日本語文法に即して言えば、対象を指示する役割を多く担っているのは体言である。それに対して、用言は一般に指示対象をはっきりとはもたない。後者に即して見るとき、狭い意味での「意味」という、あくまでも言語上で果たされる役割が、浮かび上がってくるのである。動詞だけでなく一般名詞の表す内容もまた、物質的な世界の中への指示の役割をもって普段は身を潜めているものの、いざとなるとそれからは区別されて独自の意味性を発揮しなければならないような、いわば忍者のようなあり方をしている。

とはいっても、これまでのような単語レベルでの考察では、意味の領域はまだそれほど浮かび上がってくるわけではない。というより、「意味」について考えることが切実なものとして感じられないかもしれない。「意味」とはどんなものなのかをめぐる説明が、もし単語レベルでの考察に終始しなければならないとしたら、説明は不十分なものとなる。

そもそも単語レベルで伝えられることは限られている。しかし、実際には驚くほど多様な意味が、有限個の単語を用いて表されている。言葉を組み合わせて得られる文レベルの表現になると、無数の異なりを表せるようになる。多くの文がこの世に二つとないものであると言われるように、無数の組み合わせにより、無数の異なる意味が生じるのである。そうしてはじめて

「意味」というものに固有の何かを見出す必然性が出てくるのである。言葉の意味として単語の意味ばかり考えていても「意味」の意味はほとんど見えてこない。

文に、あるいは言葉を組み合わせた表現にまで話を広げてはじめて、意味がもつ独特の領性が浮かび上がってくる。もちろん、「文」といっても必ずしも複数の言葉の組み合わせとしての構文の形をとる必要はなく、一つの単語からなる文でも多様な意味を表現することができるが、この点は少し措いておこう。手始めに、言葉を組み合わせた簡単な構文レベルへと、少しだけ考察対象をひろげてみよう。

ある種の名詞節もまた、具体的な指示対象を指している。たとえば、「あなたが食べているもの」。それはミカンであるとしよう。この場合、指示対象は、単称名辞と同じく具体的に特定のもの（卓上のこのミカン）である場合もあれば、もっと緩い場合もある（あなたはいつもミカンを食べている）。いずれにせよ、この名詞節「あなたが食べているもの」は名詞「ミカン」よりもより複雑な構文をとっており、言葉でしか示せない内容であるにもかかわらず、やはり指示対象と関係することができる。つまり、ここでは指示と意味とがかなり明瞭に分かれている。

一方で名詞節は、物理的に特定するのが難しい対象を指していることも多い。別の例を用いよう。「私がしていること」という名詞節は、出来事や事態といった種類の対象を指しているのかもしれない。だが、指示対象の輪郭が不明瞭で、他の言葉では表せないためにこの名詞節を用いるときもあるだろう。もちろん、先の例の「食べているもの」もまた、それが何を指すのか分からないことはあるが、すくなくとも何か物理的に指し示せるはずと思えた。それに対して、「していること」が何なのかは、「私は何をしているのだろうか?」と自ら問うときのように、場合によっては誰にも分からないこともある。

今しがた、「もの」と「こと」という言葉を用いた例を挙げた。日本語においてはしばしば、「もの」と「こと」との対比によって、後者を中心に「意味」の領域を浮かび上がらせる方法が用いられてきた。「もの」は指し示せるが、「こと」は指し示せないもの、意味上のものである、というわけである。この分け方は必ずしも正確ではないとはいえ、日本語で「意味」の説明をするときに直感的にイメージしやすいためかつては頻繁に用いられていた[6]。しかし、以下の考察では(やがて明らかになるであろう理由から)このような対比を用いることはできるだけ避けたい。

さて、次に主語述語の構造をもった文へと目を移そう。今度は、指示対象の姿がほとんど見えなくなってしまう。「花子は学生である」という文の意味は誰でも分かるが、それが何を指し示しているかは、よく分からない。花子が学生であるという事実あるいは事態を指している

[6] 代表的なものとして、廣松渉『もの・こと・ことば』(ちくま学芸文庫、二〇〇七年)や、木村敏『時間と自己』(中公新書、一九八二年)などがある。

のだろうか。しかし、それは「花子が学生であること」という名詞節の指す内容であって、先の文はそのような指示をしてはいないだろう。だとすると、「花子は学生である」は、何も指示対象をもたずに、意味しかもっていないのだろうか。

だが、接続詞がそうであったように文もまた「意味」しかもっていない、とも考えにくい。文の指示対象は何かという問いは、色々と興味深い問題をもたらす。よく知られた考え方として、文（命題）の指示対象は真理値つまり真か偽かのどちらかであるという答えがある。すべての文の指示対象はどちらかに分けられる、真か偽かである――だが、この論理学的な考え方は一般的な感覚とはうまく馴染まない。そもそも、私たちが文の「内容」と呼んでいるものは、決して文の真偽に向かっているわけではないし、そもそも、無数にある文がたった二つのものしか指し示さないというのは、いかにも奇妙な話だろう。

文の内容はやはり〈個々の文全体によって言われている何か〉として多彩なものであるはずだという直感に素直に従うことにしよう。すると、たとえ真偽が問える文だとしても、その文が表す独特の内容こそが、私たちが普通に「文の意味」と呼んでいるものに相当するだろう。当該の文が「現実」の状況に合致しているかどうかということを私たちは常に気にかけてはいるにしても、文レベルでは（狭義の）「意味」つまり言われている内容が中心的であり、その指示対象が何かといったことは逆にほとんど意識に上ることもない。つまり、ある種の単語（体言）と違って文においては、指示対象はむしろ後景に退いており、「意味」が前景にせり出しているのである。

　では、その「意味」とは何なのだろうか。それぞれの文に固有の内容があるのだとしても、そしてそれこそがその文の意味だとしても、それが何であるかを述べることは難しい。そもそも、もし個々の文の内容が違うというのならば、文の数だけ違うその内容は、その文を繰り返すことによってしか言えないだろうから。「花子は学生である」の内容は、「花子が学生であること」ではない。この事態についての言明ではあるので、「花子は学生である、という判断内容」とは言えるだろうが、これはすでに、文を繰り返した上で「という内容」と付け加えているにすぎない。言い換えれば、同じ文を繰り返すことでしか、答えようがないのである。

　だとすると、以上のような説明ではほとんど「意味」とは何かが明らかになっていないようにも思われよう。もし何かが見えてきたとすれば、それは、指示と区別される「意味」が奇妙な性質をもったものであること、「意味」そのものを取り出して論じることにかなりの注意が必要であること、などであろう。

　もう一つ、非常に重要と思われる特徴がある。それは、狭義での「意味」が、指示対象としての物質的な世界にあるものとは混じり合ってしまわず、物質的な世界から切り離されうるものであるとともに、たんに精神的な世界の中にあるとも言い切れず、何かしら前者に身を寄せているようなあり方をしている、という特徴である。意味は、物的でも心的でもない何かであり、しかも、それが何なのかを言うためにはその表現を繰り返すことしかないという、奇妙な存在である。

意味をめぐる考察の略史

　これまで述べてきたところによれば、対象を指示することとは別の、狭義の「意味」に固有の内容領域と思われるものがある。それは物質の世界とも私たちの心の世界とも完全に同一化することのない、いわば中間的なものである。それはあまりはっきりと輪郭を現さない、きわめていかがわしいものであるため、片足をおいているそのどちらかへ還元してしまいたくなる。「意味とは何か」という問いは人を不安にさせ、意味を何かへと還元することへと学者を駆り立てるのである。

　しかし、本書では意味とは何かと正面から問うのを避ける方針をとる。なぜなら、そうした考察が結局のところ、何か分かり良いものへと還元することにしか向かいようがないからである。哲学では、それが何かと問うよりも、「どういうときにそう言われるか」と問う仕方がある。意味についてもまた、「どういうときに『意味している』と言われるか」へと関心を向ける方法をとる論者もいる。本書も同様の姿勢であり、「どういうときに意味は変化すると言われるか」という問題へと関心を向ける。

　とはいっても、この捉えがたい「意味」について、その輪郭だけでもできるだけはっきりとさせておくことは、やはり必要である。意味の領域には、古くから着目する人はいたけれども、認識を進めることには困難がともなってきた。ここで少しだけ脱線して、意味の領域をめぐってどのようなことが述べられてきたか、ごく簡単に歴史的に振り返ってみることで、「意味」への理解を深めておくことにしよう。なお、この小節を飛ばして次に進んでも、理解に支障はない。

「意味」を表す語は長らく使われてきたとしても、それが今日につながる仕方で明示的に論じられるようになってきたのは、それほど古いことではない。今日の言語哲学の入門書などでは、指示と意味の区別は初歩的な事項として扱われ、その冒頭で必ずといっていいほど、この区別が一九世紀末のフレーゲに帰されることを説明している。[7]

もっとも、この区別のヒントとなっているのが数式であったことは、あまり印象的には語られていないかもしれない。たとえば、x^2と$2x$は明らかに異なる表現であって、まったく「意味」が異なる。だが、xの値が2であるとするなら、どちらも同じ数値（＝4）となり指示対象が等しくなる。この場合、指示と意味との区別は、非常にはっきりしている。[8] なお、以下で

[7] 日本でよく使われ、内容が充実し完備したものとして、ライカン『言語哲学――入門から中級まで』（荒磯敏文・川口由起子・鈴木生郎・峯島宏次訳、勁草書房、二〇〇五年）や、飯田隆『言語哲学大全1』（勁草書房、一九八七年／増補改訂版二〇二二年）が挙げられる。

もときに言及する述語論理は、フレーゲが数学での「関数」の考え方を拡張し、変数として個体を入れられるように作り変えたものである。これは形式言語として、数学をはじめ哲学以外の分野でも使われる汎用的なツールとなっている。

入門書では続けて、フレーゲが「意味の領域」を積極的に認める論者であったこと、しかし、そういう見方は否定されることが多いと説明が続く。意味に対する否定的な見解は、意味に固有のものなどない、あるいは、別のものに還元されると主張する。言葉の使用法をもって仮に「意味」などと呼んでいるにすぎないとか、意味は推論から導かれるといった考え方（いわゆる推論主義）がある一方で、言葉は使用者の意図によって意味が定まるとする考え方もある。これらはそれぞれすべて有効だが、基本となるのは今でもなお、意味を真理条件に帰す考え方であるという説明が与えられる。

こうした説明にここで立ち入ることはしないが、最後の点だけは避けることができない。文の意味とは、その文が「真」とされるような必要十分条件（真理条件）のことだ、という真理条件説は、広く知られる常識となっている。これは、まずもって形式言語に対して用いられるためである。「太郎は学生である」という文に対して、まずこの述語「学生である」の意味は、次のように考えられる。いま前提としている或る世界において、「学生である」のは、つまり、この述語を満たすのは、太郎と次郎という二つの個体だけだとする。すると、この述語の内容は逆に、［太郎、次郎］という集合と同じだとみなすことができる。簡単に言うと、これが「学生である」という述語の「意味」を定義したことになる。また、この文そのものに対しては、この文が真となる条件、つまり、太郎が学生であるという事態の成立がその「意味」となる。このように、モデル世界で「真」となる条件が意味に他ならないと考える真理条件説は、形式言語に意味を与えるときにきわめて有効であるため、自然言語を含めた意味一般の理論として重視されてきた。

意味とは何かという問いには以上のような代表的な答えが用意されており、その上で議論を続けるというのが常道だが、「意味」を他のもの（使用や真理条件、検証条件など）にいかに還元するかは、意味をめぐる原理的な考察ではあるにせよ、意味をめぐる様々な現象について考える場合には、必ずしも深入りする必要がない手続きだ。本書の関心からしても、あまりこの点に拘ることは、論点を拡散させることになるので避けたい。

ここではむしろ、積極的に意味の領域があるという考え方が、どのように問題とされてきたか、その中でもとりわけ目立った事例へと目を向けたい。指示とは区別された狭義の「意味」について、かつては様々な混乱があり、そもそも最初はこうした言葉を使うことなしに考察が

［8］初期にはこうした用語が確定せず、論者によって異なる使い方がなされた。フレーゲに即した用語なら「意味（あるいはイミ）Bedeutung と意義 Sinn」という一対となり、今でもなお、こうした用語が用いられることがある。だが、今日では多くの論者が、「指示 reference と意味 meaning」という一対を用いている。

進められてきた。しかも、その内容は比較的よく知られたものばかりである。

「意味」をめぐる考察を決定的に進めた一人として挙げられるのがカントである。簡単に言えば、彼は一つの中心的な問題として、「太陽が石に照るので石が熱くなる」の「ので」とは何かということをめぐって考察した。[9] ここには意味という語は用いられていないものの、明らかに構文的に作り上げられる意味的な領域が問われている。また、彼の後に「アンチ・カント」の哲学者として知られるボルツァーノが、構文的に存立する意味領域へと考察を進めたこともまた、こうした研究を推し進めるきっかけとなった。

こうした結果を受けて、「と」や「または」といった語はすぐれて意味的なものであるといった議論が行われた。中でも、二〇世紀初頭のフッサールによる考察は、現代哲学を意味の問題へと押し進める強力な効果をもたらした。また彼は、「色付いている」の「いる」とは何かについて同様の観点から考察するなど、意味の領域についての理解を多く提示している（『論理学研究』[10]）。

ポイントとなるのは、言葉によって表現されたものは、物質的なものと異なるだけでなく、また、たんに心理的なものに還元されるのではないということだ。物質とは異なる客観性・真理性をもつということである。しかし、こうした考え方は何も近代になってから出てきたわけではなく、中世哲学でもすでにオッカム派の中では、構文的に表現されるものについての考察が行われていたし、さらにさかのぼれば、ギリシア哲学のストア派が「レクトン（言われたもの)」および「シュンタクシス(構文、統語)」をめぐって考察を展開したことがよく知られている。物質に還元することのできないもの、言語的に表現されることによって存在するものが明瞭に捉えられており、それこそ意味的なものに他ならない[11]。

日本へと目を向ければ、二〇世紀後半には哲学の基礎的な教養ともなった言語哲学はさておき、戦前からすでに、上で述べたような思想に注目する哲学者がいた。今日ではあまりかえりみられることが少ないとはいえ、西田幾多郎は、当時の西洋哲学を整理するなかで、ボルツァーノからフッサールにいたる「純論理派」がもつ重要性について述べており、それと思想的に対決しようという姿勢さえ見せた。内容に即したするどい把握が可能であったのは、西田自身にとって「意味と事実」との関係が中心的な問題であったからである[12]。

[9] カントは、「太陽が石を照らすとき石が熱くなる」から「太陽が石を熱くする」への転換を論じている(カント『プロレゴメナ』二〇節)。なお、シェリングによる論理的洞察については後述する。

[10] フッサールは、「色」は見えるのだが「色付いている」を見ることはできない、と指摘している(フッサール『論理学研究』第六研究四三節)。先に挙げた、「と」や「または」についても同五一節に考察が見られる。

[11] 日本では山内得立《とくりゅう》が、ストア派や中世スコラでの意味の考察をめぐる議論を展開している(『意味の形而上学』岩波書店、一九六七年)。意味の探究を、ストア派、オッカム派そして現代へと断続的に見る見方は、ドゥルーズ『意味の論理学』でも示されている(小泉義之訳、河出文庫、二〇一〇年)。

[12] 西田の「最初の」本格的な著作となった『自覚に於ける直観と反省』は、まさにこれを主題としている。もちろんその背景には、当時の西洋哲学の動向があった。

意味をめぐる考察は、決して西洋哲学だけに限られるわけではない。いくら西田が日本の哲学者だといっても、こうした問題を考察する手掛かりを得たのは西洋哲学であった。だが、長い伝統をもつ東アジアの思想文化のなかにもまた、意味をめぐる考察は含まれている。

意味（ないし意義）は、漢字文化圏では多く「義」や「義味」といった言葉で示され、こうした語の用法も注目に値するものとはなっている。だが、こうした言葉が使われていないところに同様の考察を見出すこともできる。

仏教の中に、基本的な教説として受け継がれてきているものとして特に注目に値するのが「心《しん》不《ふ》相応行法《そうおうぎょうほう》」という考え方である。これは、存在者ないし存在者の要素（法）をさまざまに分類する中で用いられる考え方である。しばしば「色心」という二元論的な枠組みが、とりわけ東アジア仏教で使われる場面があり、存在者（法）は、大きく言えば、物質的なもの（「色法」）と心的なもの――つまり「心そのもの」および「心の状態」（「心法《しんぽう》および心所法《しんじょほう》」）――に分けることができる。だが、このように分けても、どうしてもなお残るものがある。それこそが「心不相応行法」である。[13]

あらゆるものを物質と精神に分けようとしても、両者のどちらでもない不思議なものが、残ってしまう。これは最初期の仏教にはなく、歴史的には部派仏教の時代になってから確立されたものと考えられている。「心不相応行法」もまた、指示対象といういわば物質的なものではなく、かといってたんに心理的なものに過ぎないわけでもないような、いわば「第三の領域」であり、仏教でもそうした意味の領域を認識していた。そしてこの考え方は大乗の唯識学派にいたってより精緻に捉えられるようになったことが知られている。[14]

重要なのは何がそこに分類されるのかということであろう。部派仏教も、大乗仏教の一派としての唯識学派も、言語的なものがここに含まれると考えていた。名辞の集まりとしての「名身」、構文の集まりとしての「句身」、さらに音節や文字としての「文身」が、すぐれて「心不相応行法」であると考えられるのである。[15] 言い換えれば、言語的なものは、物質にも心にも還元されず、そのどちらでもない身分をもつとされてきたのである。

心や心の状態でも、また物質的なものでもないものを、仏教といえども最初から把握していたわけではない点に、いかにそういったものを把握するのが困難であったかがよく示されてい

[13]「法」の分類として、色法・心法・心所法・心不相応行法・無為法からなる「五位」が一般的である。水野弘元《こうげん》はこう述べている。「不相応法は、生滅変化する有為法であって、心にも物にも属しない存在とせられるのであって、そのような存在は今日の常識では一寸考えられないし、一般の科学や哲学でも余り説かれないものである」「心不相応法について」(『水野弘元著作選集2 仏教教理研究』春秋社、一九九七年)。

[14]不相応行法の位置づけに哲学的観点から注目した牟宗三《ぼうそうさん》は、言語は他の諸法と並べることはできず、それを含む『倶舎論』の十四項目よりも、唯識学派でさらに追加された十一項目の方がより本質的であると論じている。『仏性与般若』上(台湾学生書局、一九七七年)、一四七-一五六頁。

[15]他には同類性(衆同分)や生命(命根)、生・老・住などが挙げられる。唯識学派では、流転・定異(区別)さらには数や時間・空間まで心不相応行法に数え入れている。

るだろう。逆に言えば、仏教もまた西洋哲学と同じように、歴史的に発展してきたものであることを示す例とも言えよう。しかも、後の時代になっても困難が解消されたわけではなかった。心不相応行法は物質とは明らかに異なる、でもたんなる心の状態とも区別されるものと明確に位置づけられるが、その位置づけは、後に至ってもなお、広い意味では心に属すると解釈されるなどの揺らぎを見せている。またその中身は、学派や論書によって若干異なっていて、大変煩雑な話にもなる。

以上のように、意味の領域、つまり、言葉によってしか表せない、あるいはむしろ言葉にしか宿らない、物とも心とも混じりあってしまわない領域についての思索は、現代哲学だけ、あるいは西洋哲学だけに限られたものではない。だが同時に、洋の東西を問わず、その探究には常に困難がつきまとってきたのである。以下の考察でも、こうした理由によって、しばしば仏教にその手がかりを求める。

物とも心とも異なるもの

少し歴史的な話になったのは、意味の領域がもつ不可思議さがこれまでどのように注目されてきたかを、たんに知的なパズルのような仕方でのみ注目されてきたわけではないということを含めて、改めて確認しておきたかったからである。私たちは意味の領域の中で生きており、たんなる事物への指示を超えた役割を言葉もまた担っている。だからこそ、意味の領域の探究は生きることと深くつながっているのである。

私たちが世界を理解するのは、意味の領域を通して、あるいは意味の領域において、である。私たちは、言語を介してのみアクセス可能となる意味的な領域に生きており、そこに立脚してものを考えている。だが、意味が本当に、物質的な領域とも、心理的な領域とも異なるような、ある特殊な「第三の」領域を形成していると言えるかどうかは、見方が分かれるところである。意味が結局のところ言葉の使用法その他に還元できるという見方には根強いものがある。ここではこの問題に深入りする余裕はないのだが、それでも少なくとも言えることは、私たちが意味の領域を支えにして、つまりそれに大幅に依拠して生きているという事実である。この点で、たとえ意味など何もない、たんなる幻想であると言い切ろうとしても、「意味」という語を用いずに人の生を考えることはほとんどできない。

少なくとも、私たちが知っている領域としての「世界」(あるいは「宇宙」)は、私たちが直接に見知っているものを大きく超え出ている。「世界」についてのほとんどの知識は、聞いたり読んだりして得られたものにすぎない。見知った知識などほとんどなく、知識の大部分は伝聞によるものだ。私たちが直接に体験したもの、見たり触れたりしたもの、など非常に限られた範囲でしかない。それでもなお、私たちが世界について多くのことを知っているのは、言葉を通して、言葉によって表現される意味を通してのみ知っているからである。言葉の「意味」

なしには、私たちは世界を知ることはできない。

だが、それだけではない。直接に触れたり経験したりしたもの、見知っているものについても、なお私たちは意味を介して考えている。そもそも私たちが生きている人間社会は、何も物理的な仕方でのみ構成されているわけではなく、言葉の力によって、いわば意味的に作り上げられている部分が大きい。指示作用が広い意味での「意味」の中に含まれてしまいがちなのも、指示対象でさえもが狭義の「意味」を介してしか語り得ないということを示している。そもそも、私たちは意味なしに世界に向き合うことはできない。名詞や名詞節の多くが指示対象にかかわっているといっても、私たちは指示対象にあくまでも私たちへの与えられ方を通して対峙している。おそらく一部の固有名詞をのぞけば、意味を抜きにした指示対象というのは考えにくい、あるいは、純然たる抽象物に過ぎないように思われる。

私たちは意味的なものの中に生きている。このような意味の世界は、依然として非常に取り出しにくいものであることもまた確かである。なぜならそれは、物理的な世界に向かっており、そこから切り離すことが難しいまでに物理的な世界と融合しているからである。他方でそれは、私たちの心に依存しているように見え、心理的なものに還元されかねないものとなっている。意味は心の状態によって変化しやすいが、たんに心理的・主観的なものではなく、理念的なものがそうであるように、むしろすぐれて客観性をもっている。物理的なものに似た客観性をもちつつ、ときに心的な側面を見せるのである。

このように、意味は、物理的な世界がもつ堅固な恒常性のようなものと、心理的な世界がもつある種の無常性とのちょうど中間のような、ある程度は安定しつつも、しかも変わるときには変わるという、不思議な性質をもっている。意味は客観的な側面をもち、非常に堅牢な性質をもちつつ、ときに大きく変化するものでもある。こうした性質によって、物的なものとも心的なものとも異なる独自性を、意味は呈している。

姿をあまり見せてくれない忍者のような意味も、変化する場面においては、その尻尾をつかみやすい。この「意味の変化」という現象へと目を向けることにしたい。

2 意味は変化する

意味が変わるとはどういうことか

言葉の広義の「意味」が変化する事例として、もっとも単純と考えられるのは、語が指すものの変化である。たとえば、「これ」とか「今」といった語は、時と場合によって指し示す内容を変化させる。だが、先の区別によりこれはむしろ「指示」の変化と言った方が良い。こうした変化は固有名詞にも見られ、ある種の伝統芸能には、たとえば歌舞伎役者もそうであるように、「襲名」という仕方で名前を引き継ぐという風習がある。人物以外の固有名詞の指示対象の変化としては、地名とりわけ島をめぐる例がある（モガディシュを指していた「マダガスカル」が島を指すこととなったとか、「竹島」が古くは鬱陵島を指していたなど）。こうした指示対象の変化なら、あれからこれへと対象が変化したとはっきりと言える。

それに対して、狭義の意味の変化はどのような性質をもっているだろうか。意味の領域はかなり大きく私たちの心の側に依存しており、主観的な見方次第だと言えそうであるが、本当だろうか。実際に、言葉は使用者の意図によっていくらでも意味を変えるし、「あ」としか発音できない人でも、それによって多くのことを意味することができるといった場合があるが、これは「意味」というよりは、むしろ意図の伝達をめぐる問題へと帰着する。主観的と言うよりはコミュニケーションの問題だ。一方、時代の変化によって語が新たな意味を獲得したり、新たな意味のために「新語」がつくられたりする場合がある。これは主観的ではなく、明らかに客観的に生じる現象である。

まずは次のようなことを想像してみよう。「ので」といった語を獲得することで、私たちはどんな変化を経験したであろうか。この語は何らかの対象を指示するような名前ではない。この語がもつ役割は、この語なしにも暗黙のうちの行われうる推論を、より明示的なものとするというものである。「ので」という言葉を獲得することにより、推論がより明示的に、また客観的なものとなり、それによって私たちの世界に対する態度もまた変わってくる。それにより、物事の間の関係がよりクリアになってきて、ひいては世界そのものが異なって見えてきたであろう。

容易に想像されるように、新たな意味には、私たちにとっての世界の相貌が変わるということがともなっている。指示対象としての世界自体は、私たちが行為を通して世界を変えることなしには、私たちの思いだけで変わるということはないものの、少なくとも意味事象としての世界、つまり世界の受け止め方は変わる——私たちにとって世界の変化とも思えるほどの変化ともなりうる。たとえば、先ほど挙げた「太陽が石に照るので石が熱くなる」は、客観的に起こっている出来事であるとともに、私たちの側での受け止め方に依存する側面をもっている。変化は心の側に依存しているけれども、それにもかかわらず、意味は客観的であるという不思議なことが起きている。

もっとも、心の側に依存した変化に根拠がないことも、確かにある。「太陽が石に照るので石が熱くなる」がもつ真面目さは「風が吹いたので桶屋が儲かる」がもつ滑稽さと裏腹のものである。後者もまた「ので」を用いた判断であり、確かにさまざまな経緯を間に挟む（媒介させる）ことで正当化される。風が吹けば塵が舞い、盲人が増えて三味線の需要が高まる、よって材料に猫が捕えられ市中でその数が減り、増えたネズミが桶をかじるという被害が増える……。これは幻想的な経過のようにも見えるが、もしかすると有名な「バタフライ効果」のような仕方で、実際に起こりうることかもしれない。[16] このもっともらしい判断は、「太陽が石に照るので石が熱くなる」とどう違うのかと私たちに問いかける。客観的と言われる判断もまた同じように、もしかすると私たちの側での勝手な思い込みなのだろうかという不安と反省を引き起こす。

さらに、事実的なものとは区別された意味的なものが見出されることもある。「人間万事塞翁が馬」、正確に言うと、「塞翁馬を失う、焉んぞ福に非ざるを知らん」といった格言の意味を私たちは誰でも知っている。[17] それにもかかわらず、おそらく人生経験が乏しいと、たんに知っているだけで理解までは得られない。人生経験の内容によって、理解の仕方は大きく変わってくる、つまり、それに大きな意義を見出す人と、上辺の意味で通り過ぎる人とに分かれてしまうのである。しかし、同じ一人の人がこの格言に対して、意味が分かるという経験をするとき、まさにこの格言の「意味」は変化していると言えるだろう。

以下では、意味の歴史的変化を手始めとして、使用によって意味が変化する語などへと考察を進めていくが、「意味」というものがそもそも語のレベルではうまく浮かび上がってこないことは、すでに述べた通りである。だとすると、意味の変化のもつ性質もまた、単語レベルではなく句や文のレベルにいたらないと、十分には見えてこないことが予想される。そこで、語の意味の変化をごく簡単に見た後に、さらに文のレベルにおける変化や文相互の連結にいたるまで、まずは事例のみをできるだけ駆け足で見ていきたい。

[16] バタフライ効果とは初期値鋭敏性に関する、「ブラジルでの一匹の蝶の羽ばたきが、テキサスで竜巻を引き起こすか」という気象学者エドワード・ローレンツの講演（一九七二年）の題名から来る表現だが、砂粒一つを動かせば全宇宙に影響が出るといった考え方ならば、フィヒテの『人間の使命』（一八〇〇年）などに見られる。

[17]『淮南子』（池田和久訳注、講談社学術文庫、二〇一二年）

語の意味の変化

語の意味の変化としてもっとも捉えやすいのは、辞書に書き込まれるような公共的な意味が、時間とともに変わる場合である。語の意味は、大きな目で見れば時代とともに変遷していくし、言語自体が変わっていく。語や概念の意味内容は、おもに社会的な状況に応じることで、どんどん変わっていく。「奴隷」という語は、今日では否定されるべき犯罪的な扱いというニュアンスしかもたないが、かつてはそうではなく、財物の一種という意味合いだっただろう。このように、単語で示される概念はどんどんと変化していく。[18]

もう少し別の例を見ておこう。今日、「麻婆」は味付けを意味する語として「麻婆茄子」「麻婆丼」「麻婆ラーメン」など盛んに用いられる。「麻婆豆腐」は元来、清代に成都のとある料理屋で、女将が提供していた豆腐料理に由来するといわれ、「麻婆」は字義通り「あばたのあるおかみさん」の意である。若干の変動はあっても今でも「麻婆豆腐」は原型を留めている。しかし「麻婆」という語は日本語で「唐辛子風味の餡掛け」の意味となった。[19]

こうした言葉と異なり、代名詞は状況に応じて指示対象が変わるのだからもっとずっとニュートラルな表現のはずだが、それでもその使用規則は変わっていく。たとえば、かつては人に関する事柄を語る場合、人を男性によって代表させ代名詞「彼」を用いることが普通であったのに対し、今日ではむしろ積極的に女性によって代表させ「彼女」という代名詞を用いる習慣が、広く見られるようになっている。こうした変化は、個々の指示対象の変化とはまた区別されるべき変化であり、その用い方の変化である。そしてこれも明らかに、社会的な状況を背景とした語用の変化である。

しかし、歴史的な変化だけでなくて、語を用いる人の意図によって、意味や指示はもっと頻繁に変わっている。もっとも単純な例は、先に挙げたように、何をもって「これ」というかというものであろう。何を指示対象とするかは、当然ながら、この語を用いた人の意図によっていくらでも変わる。机をさして「これ」といい、椅子をさして「これ」という。「今」といったのは昨日のことであった、など。「あれ」でも「彼・彼女」でも、代名詞であれば、どのような状況のもとで評価されるかに応じて、内容を変える。発話の文脈に依存して指示対象を変えるこうした語は、代名詞だけに限らない。

こうした語は一般に「指標詞」という呼び方が用いられる。たとえば、「今」というのは代名詞には分類されないだろうけれども、「これ」などと同じような用いられ方がされる。つま

[18] こうした例は数多く見られる。したがって、概念変化と言葉による適切な表現をめぐる「概念工学」という役割を哲学は見出すことになる。Herman Cappelen, *Fixing Language*, Oxford University Press, 2018.

[19] 料理をめぐる例は数多い。中国語から日本語へ渡っての変化としては「羊羹」などが典型的であり、西洋語では「サラダ」などが挙げられるが（Cappelen 前掲書）、しかしこれらは語義上の変化というよりは料理法の変化に帰される側面が大きい。

り、発話の状況によって、指示対象がそのつど変わってくる。哲学史上のよく知られた例でいうと、「今は昼だ」という発言は、夜になると嘘となってしまうということが、まさに指標詞の性格をめぐるパラドックスとなる。[20]

これは指示対象の変化であるけれども、指標詞は、もともと指示対象を確定的にもっていたのではないという点で、固有名詞などとは区別される。つまり、こうした語は、たんに指示するという働き意外に、状況に応じてはじめて指示対象を確定させるという特性をもっており、これもまた指示と区別されるという点で「意味」の中に入ってくる。[21]

こうした語がもつ少し特殊な性質を、ゆるい仕方で「意味」と呼び続けても良いかもしれない(意味特性)。指示対象が外延とか外延的なものと呼ばれるのに対して、こうした性質を特に「内包」と呼んで対比させることもできる。

当然のことながら、指標詞を含む文全体の内容もまた、同様の性質をもつことになる。つまり、状況に応じてはじめてその文の中での個々の指示対象がはっきりと定まり、それによって文の内容もまた定まってくるという性質である。先の例では、「今」という語を含む「今は昼だ」という文全体が、状況に応じて本当になったり嘘になったりするわけだが、これもまた少し広い意味では、意味の変化だと言うことができるかもしれない。指標詞を含んでいる文全体の内容は「発話の文脈」によってはじめて決定されるし、文脈や状況が変われば内容の定まり方が変わってくる。

しかし、言葉の個々の使用の場面に見られるこうした事例は、指標詞のようなものに限られない。たとえば、程度を表す副詞・副詞句は、使う人によって想定される量に大きなバラつきがでる。大人が「もう少しで着く」と言うとき、場合にもよるがだいたい三〇分ほどを想定していると考えられる。しかし、子供からすれば「全然少しじゃない!」ということになるだろう。同様に、北海道の人が「もう少しの距離」というのは、本州の都市部の人が想定するのとは大幅に異なっている。こうした語句もまた「発話の文脈」および「評価の状況」に依存して意味内容やその真偽が変わってくる。

他のもっと安定した「意味」をもつものは、たとえ多義的でも辞書の中で区別されている場

[20]「今ここ」をめぐる感覚的な確信が揺らぐのは、こうした言葉の性質によって、普遍的なものに媒介されているためである(ヘーゲル『精神現象学』)。こうした言葉の使い方にはすべて似たようなところがあるにせよ、とりわけ特殊で重要なのは「わたし」(ぼく・うち・おれ、など)という一人称である。子供は自分のことを名前で呼び、人によってはずっと名前で自己を呼ぶことを続ける人もいるが、多くの場合は、ある時点で「わたし」と言うことをおぼえる。この語の使用に何か違和感があるとすれば、それは名前と異なり、意味が固定しない語——つまり、誰がどのような状況で発言したかによって指示対象を変える語であるために、誰もが「わたし」であるからだろう。

[21]これを言語哲学者カプランにしたがって「キャラクター」と称するのが一般的である。こうして文は、その意味特性(キャラクター)から発話の文脈によって内容(コンテント)が決定されることによって、指示対象としての真理値に結びつく。これは広く受け入れられている「意味」をめぐる捉え方である。

合もあるし、辞書的には区別されない場合でも、一般名詞の場合には、特定のものを指すのか、それとも、種類を指すのかという用法の区別がある。ある小学生が「学校に行く」というとき自らが通っている特定の学校を指しているが、「お姉ちゃんも学校に行っているけど、それは別の学校」というとき、学校という語は多義的に使われている。[22]

その語を用いることで何をなそうとするのかという意図によっても、辞書的な多義性とは異なった仕方で、意味を変化させることができる。有名な例で言えば、「人が嫌がることを進んでやります」は、良い意味にも悪い意味にもなる。

多くは語用にかかわるにせよ、語や句の意味の変化によって、文の意味もまた変わってくる。こうした変化は、誰の目にも公開的なものとしての意味の変化である。中にはやがて、文法的に意識されたり、あるいは辞書へと反映されたりしていき、言語の変化として認められる場合もあるだろう。言葉そのものの内容が時代とともに変化していくほかに、言葉が用いられる個々の場面での意味の変化という、公共の場面での客観的な変化がある。

文の意味の変化

文脈によって意味合いを変えるという文の性格は、状況によって指示対象を変えるような指標詞を含むような文だけにかかわるわけではない。多くの文は、いや実際上はほとんどの文が、文脈によって意味合いを変えるように思われる。どれだけ文脈が変わったとしてもそれによって意味あいがまったく変わらないような文というのは、考えにくい。

会話においては、ごくありふれた事柄として、ある特定の発言をもって、何をなそうとするかによって変わってくる。言葉が使用される状況によって、意味合いが変わる例は、極端な場合としては単語レベルでの発言においても見られるが、これは一単語のみによるとしてもやはり「文」と考えた方が良いだろう。

食事中に同席するものから「塩!」という発言があるとしよう。この発言は、振りかける塩を渡してくれという意味なのか、塩味が強すぎるという意味なのか、それともまた何かまったく別のことを意味しているのか、定めがたい場合がある。ときには、表面的な意味と真の意味とが真逆になる場合もある。

これと似た悪名高き例がある。「ああ」だけであらゆる会話を行うというのは、亭主関白を揶揄するときによく指摘されることである。肯定も否定も、褒めるときも叱るときも、すべて「ああ」で済ますことができるのだ。空手をする人なら何でも「押忍《おす》」で済ますかもしれない。また、よく知られているギャグとして、プールの前で「押すなよ、押すなよ」ということに

[22] これは、松永澄夫『想像のさまざま』(前掲)、一七九頁)が挙げている事例を少し変形して借りている。この「学校」という語が用いられる二つの仕方」と題された節には、この語をめぐる詳細な分析が見られる。

よって、「押せ」の意味を伝える(あるいは字義どおりに受け取られ伝え損ねる)というものがある。真逆の意味になることさえある以上、いったいどういう「意味」で――つまり何を伝えようとして言われているかを把握するのは、時には大変に高度なコミュニケーション能力が求められることになる。

このように、発話によって何かをなそうとするときには、発話者の意図によって発言の意味は大きく変わってくる。[23] しかし、より文意が客観的に定まるような文についてはどうであろうか。客観的に定まるというのは、真偽が問えるような文ということであるが、こうした文でも、なお意味が変わりうるだろうか。

たとえば、比較的安定した意味あいをもっていると思われる「太郎は幸福だ」といった文を取り上げてみよう。この文は、それなりに命題的ではあるが、もし不確定的であるとすれば、どの太郎について言われているかが不明ということだろうか。ある太郎については真となり、別の太郎については偽であるかもしれない。だが、たとえどの太郎かが特定できたとしても、その太郎もまたどの時点をとるかによって、幸福であったりなかったりすることもあろう。さらに、どういった観点から評価するかによっても変わってくる――というのも、あらゆる状況の中で幸福ということは考えにくいからであり、物質的に恵まれていたとしても、心の底では危機に瀕しているといった場合もあるからである。

このように、ほとんどあらゆる文は、前提とする「状況」や「文脈」をもっており、状況や文脈を前提とすることで、はじめてその内容を確定させることができるようになっている。少なくとも自然言語上では、こうした性格は、およそいかなる文にも大なり小なり確かめられる。そして、文の意味が変わる理由の少なくとも一つはここに求められる。多くの文の内容はかなり曖昧なものにとどまっており、もし「正確」に述べようとするならば、つまり意味内容を誤解の余地なく確定させようとするならば、隠れた仕方で、指標詞や参照点を多く含まざるを得ないからである。時間空間のなかで起きる特定の事実についての文ならば、どの時点で、どの場所で、どういう状況で（発話者、聞き手、等々）など、ほとんど無数の参照点がなければ、正確に評価することができないだろう（無数の指標による確定については、次章でふたたび考察する）。さらに、述語の意味も決して一様ではないのである。

先に述べたように、文が意味内容とは別にもつはずの指示対象が、真か偽かに帰着するという考え方が奇妙に見える一つの理由は、こうした文脈依存性と関係している。真か偽かとは、ひとまず、外界の状況に当てはまっているかどうかと言い換えることができるであろう。そして、当てはまっているかどうかの判定のためには、まず文の内容を確定させる必要がある。そ

［23］言語行為をめぐるこうした意味変化は、きわめてありふれたものであるものの、その考察は長らく放置されていた。今日では広く知られているように、その研究が進められたのは二〇世紀中葉以降の言語哲学においてであった。

のためには、その文の内容を確定させるための文脈や状況の設定が不可欠である。文の内容が余すところなく確定してはじめて、「それは本当か、それとも本当でないか」を評価することができる。しかし、多くの文はそのような確定性をもたないため、確定以前の曖昧性をはらんだ状態にとどまっており、そのために内容がはっきりしない。そもそも、どうすれば求められる確定性が得られるのかも、定かではないだろう。そのために、文に何らかの指示対象があるということが、見えにくくなっているのである。

受け止め方や推論をめぐる意味変化

単語レベルでの変化、それに文の内容の変化のほかに、文相互の関係における変化がある。つまり、連想における変化や、推論における変化などである。

連想における変化とは、ある語が引き連れてくる述語や思考などが変化するという場合である。「神戸」に対して、オシャレ、神戸牛、エキゾチック、大震災、等々が思い浮かぶだろうが、こうした連想の一群はもちろん変化していく。それによって「神戸」という語がまとうイメージもまた変化していく。こうした連想は、「神戸といえば……」という仕方である他の話題へと移るというようなことなので、あまり強い結びつきがあるわけではない。

これに対して、より強い文相互のあいだの結びつきが、推論的な関係である。推論という語は、もっぱら論理的な推論として用いられるという印象があるが、ここでは連想よりもより強く広く受け入れられる文相互の関係として考えてみよう。受け入れられるとは、「良い推論」として支持されうるということである。たとえば、「太陽が照っている」から「地面の石は熱いだろう」と考えることは、たんなる連想ではなくて、推論的である。

先に、「太陽が照っている」と「地面の石が熱い」から、「太陽が石を熱くする」へと移行すると述べた。そこで、この例を用いて、どのように推論が変化し得るかを考えてみよう。容易に思いいたるのは、太陽が照っていることと地面の石が熱いことが無関係であることもあるということだ。北国では、しばしば地面を地中から温めることで、地表の氷結を防止するという設備がある。この場合、「地面の石は熱い」はむしろ地中から温められたからということになる。太陽が照っていることだけでは、むしろ「地面の石はなお冷たかっただろう」と言わねばならないかもしれない。

そもそも北海道などでは、冬の地表は凍結していることが通常であり、太陽が照っているからといって地面の石が温められているとは思わない。むしろそれだけでは「地面の石はなお冷たかっただろう」と推論する方が自然である。この場合、推論されるものはまったく相容れない正反対の結果となっている。状況によってはこのように推論が変化することは十分にありうる。こうして文相互のあいだの結びつきが変化するとき、いったいどういうことが起こっているのかを考えるために、別の例を見てみよう。

スタジオジブリのアニメ映画は長年にわたり何度もテレビで再放送されている。再放送の際にしばしばよく聞かれるのは、たとえ何度同じ作品を観ても、年齢によって見え方がどんどんと変わってくるという感想である。おなじ一つのセリフであっても、その意味が、言い換えれば受け止め方が、どんどんと変わってくるというのである。たとえば、『耳をすませば』での父親の言葉、「自分の信じる通りやってごらん、でもな、人と違う生き方はそれなりにしんどいぞ」などは、年齢によってその受け取り方が大きく異なってくるはずだ。

こういった変化は、はたして「意味」が変わったと言えるのかという疑問も生じるだろう。確かに受け止め方は変わっている。対象の与えられ方が変わっているとも言えるかもしれない。だが、言葉の意味が明らかに変わったとは言えないだろう。それに、もし指示対象と区別されるところの、対象の与えられ方には変化が起こっていると認めたとしても、それはあまりに微妙な変化であり、どう変わったのかを説明せよと言われても返答に窮するような性質のものではないだろうか。そのため、こうした変化を説明するためには、むしろ「深さ」が変わったというような、曖昧な言い方がされることの方が多いように思われる。

だが、深くなったというのは、たんに外延的な変化をうまく指摘できないために、内包的に、つまり程度において変わったと言っているにすぎない。何かが変わっている、しかしそれは外延的な（つまり指示対象の）変化ではないので、外延と対比させる概念を使って、内包的と言うのが相応しいのではないか、と考えられるのだ。そしてまさに意味とは、内包的なものなのだが、この語を使ったとてあまり多くのことは明らかにならないのである。

明らかに変わっているのは、自己の状況である。自己の状況や文脈が変わっており、それが言葉の受け止め方の違いに反映している。言葉は変わらない、だが自己が変わっており、それによって言葉の受け止め方が変わっている。

このとき、非常に局所的に一文の意味だけが変わることもあろうが、それはごく特殊なケースであろう。多くの場合に自然に起こることは、自身の変化にともなって一群の文の意味が変わるということであるはずだ。この場合、世界の見え方が大きく変わっているということになろう。人生観が変わるという言い方がなされるかもしれない。

よく知られた格言は、子供のころから聞いたり教えられたりする。しかし、子供にとって格言とは似つかわしくないものでもある。したがって、「どうでも良いもの」と受け流される可能性が高い。しかし、成長するにつれ、とくに大人になってから、子供のころから知っている格言に「意味を見出す」ということがよくある。「塞翁が馬」の意味が子供にはあまりピンとこなかったとしても、大人にとってはそうではない。この格言が、本当だとして分かるような状況を経験するからである。これはつまり、自身の文脈や状況が変わった、ということである。

しかもこの場合も、「塞翁が馬」という格言のみに特異的な仕方で意味を見出すということは、考えにくい。もしこの格言がどうでもよかったという段階から、深刻に受け止めるように変化したならば、その他のさまざまな逆説的な言い回しの意味もまた同時に分かるようになるのではないだろうか。そのとき、たんに個々の文の意味が変化しただけではなく、多くの推論や連想が、人生観そのもののとともに、変わっているのではないだろうか。

このように、自身の文脈や状況が変わるということは、すでに一文の意味の変化だけにとどまるものではない場合がある。自身の文脈が変わるとき、意味を与えるような観点そのものが、すでに変わってしまっているのである。観点の変化によって、見えてくるものの意味が、つまり視野もまた変わってくる。人生観が変わると言われる場合には、そもそも見えてくる世界のあり方が変貌を遂げているだろう。もっとも激しい場合で言えば、世界の意味の根本的な変化ということになろう。そうだとすると、以上で見てきたような言葉に即して如実に確かめられるところの意味の変化を超えて、もっと広い意味での意味変化、言葉になる前の意味変化というものも視野に入ってくるし、これは本書後半の主題となる。

3　意味が通じないとき

意味変化と誤解

言葉の意味がさまざまな条件のもとで変化するために、意思の疎通がうまくいかないということがしばしば起こるし、誤解や無理解が生じることがある。これまで言葉の使用をめぐって意味の変化について概観し、語や文の意味が変わるいくつかの場合を事例に即して見てきたが、それらをふりかえりつつ、誤解・無理解がどのように生じるのかを見ていくことで、さらに理解を進めよう。

第一に、語や文の意味が使用者の意図に依存するために、誤解が生じうる。「ああ」や「押忍」という語だけでさまざまなことを伝えることができるとしても、それだけですべてが正確に伝えられるなどということは、あり得そうにない。話者の意図をうまく汲み取れないならば、そこに意思疎通の齟齬が生じる。複雑な内容を伝えようとすればするほど、いくつかの単語を組み合わせて構文的に文を組み立てることが必要になってくる。

いくら話者が意図を表出しようとしても、言語にはそれなりの客観性があって、それを逸脱するのには限度がある。たとえ「押すなよ」によって「押せ」という意味を表すことが可能であったとしても、この発言によって「塩を取って」と伝えることは、ほぼ絶望的だろう。言語のもつ規範性は、使用者の創意工夫によってある程度は逸脱可能ではあるのだが、規範性をまったく逸脱することはできない。少なくとも、誤解を避けるためには、規範性にしたがう必要がある。

第二に、言語のもつ規範性もまた、時代や社会集団によって変わるためにズレが生じる。規範の違いは確かに認識され得るものとともなっている。だが、違いや変化に気づかずに使用・解釈してしまうということも起こる。これが、同じ語を用いていても意思の疎通がしばしばうまくいかないという現象の原因ともなる。

例に出す人物に「彼女」という代名詞を使ったら、なぜ女性に限定するのかと訝しがられるといった誤解が生じることもあるかもしれない。また、今日の普通の用法によって「野心的」と誉めたのに、辞書によく書かれているような非難のニュアンスでとられてしまい、気まずい思いをすることもある。

第三に、語や文の意味は、特に意図や時代的変遷が絡んでいなくとも、文脈や状況によって決まる部分が大きく、この点で誤解が生じることがある。これは、意図や時代的変遷をも文脈や状況に含めることができるので、それらを包括するような、より大きな条件とも言えよう。

文脈や状況は、発話者がもつだけでなく、受け取り手もまた独自にもっているため、両者のあいだに齟齬が生じうるのである。

語や文は、その指し示すものを確定させるための諸々の条件を、暗黙のものとして前提にしている。そのため、「もう少しで着く」は大人と子供では想定する時間が違うし、地域によっても大きく異なる。「太郎は幸福だ」はいつのどの太郎のことか、幸福とはどういうことか、等々によって意味が変わってくる。語や文はどのような条件の下で用いられ、また理解されるかによって、指し示すものを変えたり意味を変えたりするが、こうした変化によって意味が通じないということが頻繁に起こりうる。

すでに述べたように、こうした変化は文相互のつながりにまで及んでくる。「太陽が照っている」と「地面の石が熱い」から、「太陽が地面の石を熱くする」という推論がなりたつ。しかし、ある種の環境では、逆に太陽だけでは「地面の石はなお冷たかっただろう」と推論される。また、子供のころから知っていたにもかかわらず、人生経験を積むなかではじめて「塞翁馬を失う、焉んぞ福に非ざるを知らん」という逆説的な述べ方に深い意義を認めるにいたるというような事例にも触れた。これは、無理解から理解へといたるという変化である。

一方で、「文脈や状況」と呼んだものが多種多様なものであることには、注意を向けておかねばならない。確かに、個々の文がもつ意味は、指標詞のようなものを含んでいるか、あるいは暗に前提としているし、副詞や形容詞・動詞などの内容も含めて、文脈・状況によって変化するものとなっている。しかし、指標詞を定めるという意味での「文脈」と、多義的な語の意味を一つへと定める「文脈」とは、同じく文脈と言ったとしても、やはり異なっているだろう。[24] 発話者の意図や、述語の意味が歴史的に変化することなどまで含めて「文脈・状況」と言うならば、なんでもかんでもそこに放り込んでいるような具合にもなってしまう。

とはいえ、誤解ということを軸にして考えるかぎりでは、文脈・状況の中にさまざまな区別を見ていくことよりも、共有と非共有との区別こそが、やはり決定的に重要である。文脈の中には、多くの聞き手や読み手、つまりその文の「評価者」によって共有されているようなものがあり、それをあてにして発言はなされている。と同時に、そのように共有されている、あるいは表面化しているもののほかに、発言の裏には発話者自身のプライベートな文脈が必ずある。コミュニケーションが成立するためには、このプライベートな文脈にできるだけ依存しない仕方で発言をする必要があるが、それには限度がある。

「私は幸福だ」とある太郎が言う。この発言は、ある特定された太郎についての発言として評価対象となり、常識的に受け取れば、太郎は本当に幸せなんだろうということになるし、それで正しいとしよう。だが、この太郎が実は人生のどん底にあることを、太郎自身も含めて、私たちは知らないかもしれない。太郎は、悲惨にうちひしがれながらも、なおも「幸福だ」と言うことしか知らないのかもしれない。自分は不幸だと発言するすべを、彼は知らないのかもしれない。いや実際に、彼が誤っているわけではないのだ。

この時、太郎がいかなる意味で「幸福」という述語を用いているのかは、他人からは知る由もない。この形容詞ないし形容動詞は、彼自身の文脈の影響を受けているし、それを離れてうまく捉えることはできない。しかも、発話者自身の文脈は、私たちに必ずしも公開されているわけではない。だとすれば、彼が幸せなんだと受け取ることは、まったくの誤解である可能性がある。

もちろん、発話者だけではなく評価者の状況もまた、本人にも他人にも、決して透明にはなっていない。たとえば、同質性が非常に高い集団の中にいるとき、同調圧力の中で「共生」という語はあまり肯定的な意味をもたないだろう。むしろこの語は、たんに同調圧力を強めるための語にしか聞こえないかもしれない。ところが、とても異質なものが混在する状況の中で、抗争の悲惨に身をおくなかで、「共生」という語を大切に思うことが出てくるだろう。

語の意味や文の意味、さらには連想や推論といった文どうしのつながりによってもたらされる意味まで、発話者のもつ文脈や状況に大きく依存している。発話者自身の文脈は、聞き手や読み手にとっては、あらかじめ予測することが不可能である場合がある。文の意味が予測不能

[24] ただし、この区別にあまりこだわると話がどうしても複雑になってくるため、以下では区別をあまり強調していない。なお、この区別をめぐる検討は、たとえば、藤川直也『名前に何の意味があるのか』(勁草書房、二〇一四年)の第三章に見られる。

な理由の少なくとも一つは、発話者自身の個人的な状態が、文脈の一部を形成しているからである。こうして、誤解が生まれる。

述定内容の変化

一方、格言のようなものの受け止め方が、人によって変化する、あるいはその意義が深く見出されるという場合は、似たことが起きているようにも見えるが、決して「誤解」というわけではない。繰り返しをいとわずにいえば、「人間万事塞翁が馬」というのは、格言として小学生でも知っているし、意味はなるほど辞書的な説明を通して分かってもいる。ところが、逆説的な状況を何度か深刻に経験することなしには、それを文脈とすることで理解することなしには、意味深いものとして受け止めるにはおそらくいたらない。そして、意義深いものとして理解されるからこそ、人口に膾炙したものとして用い続けられるようになるのである。だが、たとえ字義通りの意味しか最初は知らなかったとしても、「誤解」とは言わない。

誤解でなければ何なのだろうか。もし言うとすれば「浅い理解」ということになる。格言の意味が分かるようになるといった事例は、これまで見てきた他の意味変化とは異なり、いったい何がどう変化したのかを言うことがきわめて難しい。文意や文相互のつながりに関しては、なお言葉に即してその変化を明示できる事例が多いのに、格言の意味が分かるというのは、何が変わっているのかを明示することが、ほとんど不可能であるようにも見える。以前も語義は正確に理解していたからだ。だからこそ、たとえ浅い意味しか分かっていなかったとしても、「誤解」とは決して言えないのである。こうした事例をより良く理解するためには、どうすれば良いだろうか。[25]

私たちは言葉の意味を通して現実に向き合っていると述べたが、その際に、当然ながら、すべてを言葉にしているわけではない。というより、ほとんど言葉になどしていないと言った方が正確である。文学者やある種の学者はすべてを言葉にしようと試みるかもしれない。しかし通常は、言葉にされているのは現実のほんの一端をめぐってのことにすぎない。そのため、受け止め方の変化が、必ずしも言葉に現れるとも限らない。それでも、言葉になる以前のところに見出される変化が、言葉の上に現れてくる意味の変化とまったく無関係のものではないと、どうして言えるだろうか。

私たちは外の世界から現実を受け取るだけでなく、世界へと意味を与える存在でもある。そ

[25] このとき何が変わっているのかを問題にすることは、関心の方向がまったく違いながらも、哲学では有名な「メアリーの部屋」の事例に近い。これは簡潔に言えば、色を見ることなく色の知識を完全に備えたメアリーが、白黒の部屋から出て色を実際に経験したとき、何を得たかという問題である。ここでは、完全なる知識をあらかじめもっていた人が、新たに経験によって何を得たのか、理解は変わったと言えるのか、を問うている。

のため、私たち自身に何か重大な変化があるとき、私たちが世界に与える意味の変化が生じるだけでなく、言葉の用法にもまた変化が反映される。

まずは、事物や出来事、場所など名詞によって表されるところの、ゆるい意味で「実体的」といっていいようなもののもつ意味が変わるとき、どう言葉に反映されるかを見てみよう。この場合の意味とは、私による受け止め方ということである。

事物や出来事がもちうる無数の述語は、受け止め方によって主要であるものとそうでないものとに分けられる。たとえば「神戸」という街の名前を取り上げてみよう。街はどこでも良いが、私はかつて神戸の端っこに住んでいたことがあり、非常に愛着がある。神戸というと、一般的な（あるいは紋切り型の）イメージとして「おしゃれな街」という表現が思い浮かぶ。「おしゃれ」が「神戸」という語に真っ先に付けられる述語であるかのようだ。だからこそ、神戸市（およびその周辺）の多くの兵庫県民もまた、居住地を尋ねられると「兵庫」とは答えず「神戸」と答えるのかもしれないし、同じことは横浜などでも言えるかもしれない。

だが、近年ではそうしたイメージへの反発も強く、逆にネット上では神戸という街が「おしゃれとの自負が強い」「無駄にプライドが高い」などといった負のイメージで語られることも増えてきた。筆者はかつて住んでいたこの街に深く愛着をもっているし、「おしゃれ」という述定を変えようと思うわけでもないが、「おしゃれ」という述定を自然と行っていたところから「おしゃれとの自負が強い」という述定を主とするように移り変わるという現象は、実に興味深いと思う。この述語づけの変化は、「神戸」の受け止め方が、あるいは「意味」が、ガラリと変わっていることを表示しているからだ。

述語づけの変化は、対象について、その受け止め方が変わる場合に起きるときに見られる現象である。つまり、対象の受け止め方としての「意味」が変わるとき、主要となる、あるいは特に強調される述語が、交代するという現象が見られる。これが、たんなる連想の変化と少し異なっているのは、たとえ相容れない連想のあいだをさまざまに揺れ動くということが過渡期的に見られたとしても、はっきりとした述定の入れ替わりが生じるということである。主要となる、あるいは強調される述語が変わるという仕方で、意味の変化が生じているのである。

こうした変化は、個々人にとっての変化、自分だけにとっての述語の交替である場合もあるが、他の人にとってもそうである場合もある。他の人による新たな見方の表明によって、私自身の見方が影響を受けるということも多く見られる。

もし、用いられる言葉が交代するわけでもないのに、意味だけが変わるとしたら、それは言葉に表れる前の状態であると言えるかもしれない。そのとき、変化はきわめて見えにくいものとなっているだろう。言葉としての述語は変わらないのに、その「意味」が変わるとは、上記の例で言えば、「神戸」に対して述定される「おしゃれ」という語の意味がカギ括弧付きのもの（神戸は「おしゃれ」だ）となるということである。英語話者なら、両手のピースサインを折りまげるジェスチャー（エア・クオート）するかもしれない。言葉を変えずに、「おしゃれとの自負が強い」という内容に変化するということだが、はっきりとこう文節化した仕方で明言されるにいたるかどうかは別として、同じ語をもってしてこうした変則的な仕方で意味を変ずることがよくあるだろう。

ただし、カギ括弧付きとなる変化、「おしゃれ」が「おしゃれとの自負が強い」という内容となるという変化は、言葉の表面からは見分けがつきにくいだけでなく、内容的にもはっきりしない変化である。もし負のイメージについて尋ねられれば、やはりもう少し分析的に、「悪い意味で」とか、「自負だけは」といった限定を足すであろう。こうして意味の限定が行われ始める。そして、意味の変化がやがて言葉の上ではっきりと表面化するにいたる。

別の例を用いて考えよう。「見ていたけど見ていなかった」「聞いていたけど聞いていなかった」と言われるような場合がある。これは決して矛盾することを言っているわけではない。目に入っていたけれど、耳に入ってはいたけれど、心にまで届いていなかった、ということだからである。この場合、動詞が多義的に使われているように見える。心にまで届いていなかったということを「見る」「聞く」という言葉で言うのは、たんに不正確な言い方だということにはならないだろう。さらに別の例として、あまりに先端的な服装、たとえばほぼ布で覆われていない、あるいは透明な衣服を身にまとっている人に対して、「服を着ているけど着ていない」と言うときは、着ていてもちゃんと着たことになっていないということだが、「着る」という動詞に対してたんに程度の差をつけているとも言える。だが、「見る」「聞く」の場合は、たんなる程度の差ではなく、ある決定的な差が意識されている。

「この点を見ていたけど見ていなかった」と感慨をもって、あるいは反省して言う場合、目で見て何ほどかを理解していたけれども、それでも今まさに自分に見えている内容まで見えていたわけではなかった、という意味であろう。この場合、「見る」という動詞の内容が、本人にとって先と後では変わってしまったということなのである。

そして、これこそまさに、格言の意味が分かるときに起こることであろう。「「塞翁が馬」という格言を知っていたけど知っていなかった」、それは今まさにその内容を知ったからであり、以前は語義を知っていただけで体得していなかった。この言い方だけなら「知る」という語の変化となるかもしれないが、それだけではない。このとき起こっているのは、「塞翁が馬」という格言そのものが、私にとって新たに深い意味をもつようになったということであり、たんに理解が深まったというだけではないのである。ここには、程度の差ではなく、質的で決定的な差がある。この場合、既存の意味をやっと理解した、という自分の変化である。

述語の意味変化といってもこのように多様だが、いずれにせよ文相互の関係を変化させ、連想および推論における変化をもたらす効果をもつ。さらに、より広義の、まだ言葉にならない意味の変化にまで影響を及ぼすであろう。これらはすべて、何か自分自身の中で決定的に生じる変化を反映している。

異なる文脈への気づき

人と人とのあいだには文脈の齟齬があるために、そして同じ述語でさえも異なった用い方をしている場合があるため、文字通りの誤解とは違った仕方で、言葉での伝わらなさが深刻に感じられる場合も出てくる。誰でも知っているように、異なったものの感じ方をする人や、異なった考え方をする人とのあいだには、共有する文脈・状況の違いによって、うまく話が通じない場合が往々にして出てくる。異質な文化環境や思想信条を背景にする場合、年長者と年少者といった世代の違いによる場合、こうした文脈の違いを乗り越えて円滑なコミュニケーションをはかるためには、何よりも文脈の認識が重要となってくる。

文脈の異なりをうまく意識化できないならば、言葉でいくら説明しても何も伝わらないか、せいぜい誤解を生み出すだけに終わる。このとき、言葉はいかにも無力だと思われることだろう。

これは、同じ一人の人物においてもまた、時間の変化とともに起こることである。若い時に理解できなかったことが今は理解できる、しかしもしタイムマシンにのって過去の自分にそのことを伝えようとしても、おそらくは何も通じない。自分のことならば、前提となる文脈についてもかなり深く理解できるのに、その場合でさえ、過去の自分に伝えることはおそらく絶望的に困難なのではないだろうか。

では、文脈や状況が異なるとき、普通に通じると思っていた意味がまったく通じないとき、どうやって内容を伝えれば良いのだろうか。言葉は本当に、まったく無力というわけでもないだろう。言うまでもなく一つの有効な方法は、言葉を尽くして説明し尽くすということである。もちろん、相手が聞いてくれるという前提のもとでのことではあるが。

世界の中でも、日本語はとりわけ文脈依存性が高い性質をもつ言語として知られている。言語というよりも、日本社会がそうであると言った方が正確かもしれない。文脈はすでに共有された自明なものであるとされ、言葉を尽くして文意を正確に確定させようとする努力があまりなされないという傾向が強いように見える。逆に言うと、言葉を尽くして一から説明するということがあまり好まれないのである。このことは、日本の大学で用いられる日本語での教科書の厚さが、一般的に英語圏のものと比べて薄いのをみれば一目瞭然である。[26]

それに対して、文脈依存性が低いとされる言語がある。さまざまな文脈を想定して、どのような文脈のもとにも確定的に理解されうるような説明をすることを求める傾向は、英語圏での書物には強く見られる。そのため、英語圏の書物を日本語にそのまま訳すと、あまりに冗長で退屈に感じられることがよく見られる。あるいはニュース記事などでも、長さの違いは顕著に

[26] 象徴的なのは、日本の書店には新書本などで何々入門といったものが多量に並んでおり、よく読まれているという事実である。一見すると好ましいことのようにも思えるが、「気楽に読めて分かった気にさせる」ことを目指した入門書には、一からすべてを説明し尽くすという姿勢はあまり見られない。

見られるだろう。日本の書き手なら「なあなあ」でさらっと伝えようとすることを、くどくどと言葉を尽くして説明しようとするのは、社会的な同質性が低いことに基づいていると説明されることが多い。仲間内での会話となれば日本とあまり変わらないとはいえ、あくまでも一般的な傾向についてはこう言える。

文脈に依存することの最たるものは、ある特定の言語に依拠するということかもしれない。ある種の思想は、特定の言語でしか言えないといった考えである。[27] だが、近代初頭の偉大な哲学者たちは、そのようには考えなかった。スピノザのように、哲学に「幾何学的方法」つまりユークリッド原論にならった「公理」による証明をあえて用いることがあるのは、できるだけ言語依存的・文脈依存的な無理解を廃しようとしたからである。可能なかぎり軽装備の言語で、つまり、言語習得が容易で多くの知識を必要としないほとんど人工的なまでに簡易化した言語で、誤解の余地なく論証を進めるのが、幾何学的な手法なのである。[28]

つまり、誤解の余地なく証明を進めるという方法そのものが、異なる文脈による無理解をさけるための方法なのであり、「公理」は多くの場合、暗黙の条件とされてきたものを可視化したものにほかならない。スピノザはこの哲学の手法によって歴史的に何度も非難されてきたが、少なくとも近代初頭の哲学は、文脈に依存した無理解を取り除くことで、普遍的な議論を目指したのであった。現代哲学が形式言語を用いるのも、同じ精神によるものだと言って良い。

しかし、言葉を尽くして説明するにしても、あるいは誤解の余地なく説明を構成したとしても、ポイントが見えなくなるとやはり伝達はうまくいかない。哲学における「幾何学的方法」が絶えず非難されてきたのも、「内容に相応しい形式を用いなかった」などの非難の言葉の真意は、何を目指しているのかが逆に分かりにくくなるということなのである。数学的な証明は、あくまでも論証を通した理解であり、直感的には分かりにくい。同様に、正確な説明は多くの言葉を連ねることになり、あまりにも事柄がもつひだを広げすぎるあまり、理解が追いつかなくなる。次章でも論じるように何でもかんでも説明し尽くせば良いわけではなく、ポイントをおさえた簡潔な説明が要るのだ。多くの場合、必要なのはすべての前提を示しつくすことなどではなく、要点をうまく取り出すことなのである。

さて、「どういうときに意味は変化すると言われるか」と問うとき、ひとまずの答えは、自己の文脈をはじめとして、受け手の文脈などさまざまな前提条件が変化するときである、ということになるだろう。そうだとすると、意味の変化へと目を向けることは、暗黙の了解のも

[27] たとえばハイデガーは、ギリシア人の言語および思想とつながっているのはドイツ語であり、フランス人も「考え始めるやいなやドイツ語をしゃべる」と述べた（死後に公開された『シュピーゲル』誌のインタビュー記事での発言）。

[28] スピノザ『神学・政治論』上（吉田量彦訳、光文社古典新訳文庫、二〇一四年）、第七章「聖書の解釈について」にこの点をめぐる記述がある。「幾何学的方法」を用いたスピノザの主著は、言うまでもなく『エチカ——倫理学』（畠中尚志訳、岩波文庫、一九五一年）である。

とに気づかれていない自己をめぐるさまざまな条件へと目を向けることだ、ということになる。単語レベルでも、あるいは文や文章レベルでも、あるいは言葉になる以前の意味についても、意味の変化を理解しようとするとき、自己の文脈や異なる文脈への「気づき」が必要である。だが、言葉においてしか現れない意味というものが一体どういうものなのか、まだ問いは始まったばかりである。

Ⅱ　事実へといたる意味

1　意味は幻なのかという疑い

消えてなくなるもの

物の領域と心の領域のどちらとも区別されるものとして意味の領域を見出すとしても、その姿を捉えようとするならば、それが事物の世界とどのようなかかわりをもっているのかを見るほかはない。さもなければ、意味の領域はひょっとすると心に還元されるかもしれない。意味は心に深く関係するにしても、一方で事物に対しては、たんに個々の事物を指し示すということのほかに、どういった関係を取り結んでいるのであろうか。

指示の働きはひとまず外界にある具体的なものといういわば確固としたものに向かっているのに対し、意味が作り上げる領域は、外界と堅固に結びついているわけではない。そのため、言葉を離れてはその姿が見えなくなるだけでなく、言葉に即してもなお、私たちの心に依存したもの、心が作り上げたものという特徴をもつ。言葉という記号（音声ならびに文字）の働きによって、意味的なものは心の内面にとどまらずに客観的に表現できるが、そこには心が作り上げた虚像が含まれているように思われる。

意味的と言われるものには、外界に深くかかわりつつも物理的な対応物をもたないと考えられるものだけでなく、まったくの幻想のようなものも確かにある。虚構のようなものもあれば、事実と取り違えられた余計な存在物もある。

虚構は自らが意図的に作り上げた幻なのだから、別に非難されるべきものではない。言語哲学では「ペガサス」という例がよく引き合いに出される――外界に確固とした指示対象をもたないにせよ、それでもなおある種の客観性があり、私たちはそれを「翼をもっており、空を飛ぶことができる馬」として理解することができる。

問題なのは、虚構ではなく、事実と見做されつつも幻のような身分をもつもの、事実と取り違えられた余計な存在物である。この点で、ペガサスよりも「馬」の方がより問題的と言えるかもしれない。なぜなら、「馬」そのものもまた現実にはないからである。前述のとおり、一般名詞の指示対象は特定の具体的なものではないし、あるのは「馬である」個体のみである。それなのに、抽象的な存在者（馬そのもの）を指示対象としてもっているかのような錯覚を引き起こす。

よく知られているように、一般名詞については（名前と述語からのみ出来ているような形式言語である）述語論理を用いて分析してみると、その幻想性のありかが明瞭に示される。簡潔に言うならば、「馬」というのは述語として扱うのが適切であり、「馬である」といってもいいし

「馬る（うまる）」という動詞だと考えても良い。もし「馬」を個体として扱いたいのであれば、それはこの述語を満たす個体（つまり個々の馬）を扱っているにすぎない。「馬」と一言で表されているのは、「馬ってるもの」と言い換えられる。

さて、「馬」は現実に向かっているが、「ペガサス」はたとえ固有名であったとしても虚構的である。ギリシア神話ではポセイドンとメデューサの子であるとか、ベレロポーンが捕らえたとか言われているのだから、特定の個体を指示しており、したがって指示対象を指す固有名という一面をもっている。ただ、「翼をもった馬」という一般名詞として用いられることも実際上は多い。いずれにせよ、馬の一種として、虚構的な馬と考えて良い。しかもこの場合は、「馬る」よりも「ペガサスる」の方が圧倒的に有名な動詞なのである。[29] ただし、この動詞を実際に満たす個体はなく、この点で虚構的ということになる。

一般名詞が表しているのが、抽象的な存在者ではなく、述語をみたす集合つまりその実例の集まりであるというのは、重要な点である。自然言語ではこれらも「実詞」（あるいは体言）として、具体的な指示対象を指し示しているかのように見えるのだが、そうではなく、述語やその複合体に相当するものを、翼をもった馬がペガサスと呼ばれるように、いわば省略的に名詞的に表すものとなっている。虚構的であろうがそうでない一般名詞であろうが、名詞の多くは指示対象を指しているというより、むしろ述語的である。言い換えれば、動詞と同じような位置づけをもっている。

こうして、名詞の多くは動詞の形に直すことができる。いやむしろ、動詞が名詞化されたものを、元に戻すと言った方がいいかもしれない。前の章で、動詞は原初的であり、意味的であると述べた。動詞が表すものは、必ずしも物理的にそれとして示すことができないという一面と、外界と深くかかわるものであるという一面をともにもっている。「歩く」という動詞は、なるほどそのままで外界に指示対象をもつとは言いがたいとしても、その動詞によって描写されるような行動は、確かに存在する。小走りにならない仕方で歩行する行為を指示していることは明らかである。その動詞を満たすものは存在する、しかしその動詞が示す何かは、存在するものとは別の次元のものということになる。この性質を意味的と呼ぶことができるならば、動詞へと還元される一般名詞もまた意味的である。

ここで用いているのは、名前と述語と基本的な論理関係で作り上げたきわめて単純な形式言語としての一階の述語論理であるが、いかにも単純なこの道具立てこそは、論理分析における強力な道具である。[30] 自然言語の構文にもう少し即して分析しようとすると、どうしても一階

[29] クワイン「なにがあるのかについて」、『論理的観点から――論理と哲学をめぐる九章』所収（飯田隆訳、勁草書房、一九九二年）。

[30] 一般的に言えば論理分析は、形式言語としての記号論理による自然言語の分析であるが、どのような論理を用いるかで分析結果が異なってくることがある。以下では、煩雑を避けるため、もっとも広く用いられる道具立てとしての一階の述語論理を前提として考察する。

の述語論理では済まずに、高階のもの（述語に対する述語を認めるもの）が必要になってくるが、この点を後回しにして考察を進める。

言葉がもたらす間違い——論理分析の効力

形式言語を通すことによって、多くの名詞や名詞句（以下では日本語での名詞節もときに名詞句と呼ぶことにする）、ないし体言は、事物を指し示しそれに対応するという性格を失ってしまう。このような考え方により、「馬」や「犬」、「机」や「国家」といったものは、あるいは「金の山」や「『坊ちゃん』の作者」のような名詞句もまた、すべて事物を指し示すような性格を剝奪される。それらの「意味」を通して向かっている先の対象は、存在者としては虚妄であるにすぎない。

こうした議論の主眼は、自然言語の語法においては「虚妄的な存在者」が要請されてしまうということにあった。もちろん、個々の「馬」はいるし、「『坊ちゃん』の作者」を満たす個体もいるが、しかし「馬そのもの」はいないし、同様に言えば「『坊ちゃん』の作者そのもの」もいないのである。述語を満たすものはある、だが、述語を実体的に見ることはできない、というわけである。

論理分析がもたらす自然言語への理解のなかで、おそらくもっとも印象深いのは、主語述語文の構造に関するものである。主語述語の形式こそが、言語のもつ強力な論理性を形づくっているようにも思われよう。自然言語に即した古代からの論理学では、主語述語形式をもつ判断文がその主軸となってきたし、今でもその影響力は残っている。しかし、主語述語形式がもし見かけほど論理的でないとすれば、つまり、論理性を覆い隠すような幻想的なものであったとすれば、それはやはり問題的であろう。形式言語を用いた分析が示すのは、まさにこの点である。

きわめてよく知られた基本的な例であるが、「FはGである」といった形式の判断文は、量の観点から全称判断・特称判断・単称判断の三つに分けられる。「すべてのFはGである」と「あるFはGである」と、「このFはGである」という三つである。これらは一見すると「FはGである」という内容を共有していて、その前に「すべて」と「ある」といった量的な限定を付け足したかたちをしている。[31] そして実際に、自然言語に頼って考えるかぎりではそのように見える。

だが、論理的な内容に注意して分析してみると、「すべて」と「ある」の二者は、大きく異なる構造を見せるものへと変わる。「すべてのFはGである」は、論理的には、「すべてのxに

[31] これらに対し、もともとの「FはGである」は総称文と呼ばれるものにあたり、これはこれで興味深い対象となるのだが、今は措いておく。この点をめぐる解説としては、飯田隆『日本語と論理——哲学者、その謎に挑む』(NHK出版新書、二〇一九年)を参照されたい。

ついて、xがFを満たすならば、そのxはGをも満たす」と書き表される。また「あるFはGである」は、「あるxについて、xはFを満たし、かつ、そのxはGをも満たす」と書き直される。後者については、歴史的にはカントより少し後のシェリングがすでに、形式言語の助けを借りることなく発見していたことである。だが、いかに彼の洞察が鋭くても、上記二つの判断文の構造の違いを把握するまでにはいたらなかった。[32]

ここでおさえておくべき点はただ一つ、二つの判断文が大きく異なった論理構造をもっているという点である。書き換えるとはっきりするのは、両者はそれぞれ「ならば」と「かつ」という異なる関係を含んでいるということだ（なぜそうなるのか、とりわけ後者についてなぜ「ならば」を使ってはいけないのかという点は説明を要するが、論理学の解説を参照されたい）。「すべてのFは〜」は「ならば」という論理関係を含んでおり、「あるFは〜」は「かつ」という論理関係を含んでいるのである。主語述語文では「FはGである」という内容を共有しているように見えた両者だが、それは間違った捉えかたであったことになる。実のところ、量的な限定が付くことで、異なる論理関係を含む判断へと変わってしまっているのである。二つは大きく異なる判断形式なのである。[33]

だとすると、自然言語を用いた論理的思考は、信用できないものに見えてくる。主語述語の形式は、私たちが言葉を用いて考えるときに、何よりも重要なものだし、それがすでに論理的に異なるものを一緒くたにする機構となっているならば、それによって多くの間違いが生じている可能性がある。これはあくまでも量的な限定に関係して起こる問題であって、そうでなければ特に気にしなくても良いと言えるかもしれない。しかし、先に一般名詞について見たように、自然言語を用いているかぎり見えにくい事柄がたくさんあるのも事実であり、自然言語をあまりに過信して思考を進めることは、ときに間違いを起こしかねないことは、少なくとも認めなければならない。

と同時にまた、論理学の言語を過信するのも決して安全なわけではない。逆にここで用いた論理学の方が自然言語よりも論理性が弱いのだという考え方もできる。[34]とはいえ、言語につら

[32] 両者はそれぞれ、$\forall x\,(Fx \rightarrow Gx)$ および $\exists x\,(Fx\ \&\ Gx)$ となる。歴史的に有名なのは、Fが唯一に定まるときであり、イオタ演算子を用いるのでなければ少し複雑な式となるが、ラッセルの確定記述の理論として知られるこのケースも基本的には「あるFは〜」の場合（つまり後者）と近い形をしている。なお、シェリングによる論理的洞察については、ホグレーベ『述語づけと発生』（浅沼光樹・加藤紫苑訳、法政大学出版局、二〇二一年）を参照にされたい。

[33]「ならば」と「かつ」は文全体の論理表示のなかに出てくるのみである。しかし、「すべての〜」「ある〜」そのものを少々複雑な道具立てを用いて直接に論理表示すると、それらのなかに「ならば」と「かつ」がそれぞれ入り込んでくることが知られている。

[34] たとえば、先の注で少しふれた総称文はここでの道具立てだけではうまく説明できない。飯田隆は次のように述べている。「論理的に区別されるべきことが区別できない言語を挙げろと言えば、論理学の言語がまっさきに挙がっても不思議ではない」（飯田前掲書、二七一頁）。

れて考え違いをしてしまうことを示してくれるのは、やはり人工的な形式言語であることには変わりない。こうした分析がもつ強みは、極端な仕方で自然言語への反省を迫るところにある。異なる言語を学ぶことで母語を通した考え方の特殊性に気づくことがあるのと同じように、形式言語の助けを借りることで、自然言語に頼りきった私たちの思考のくせに気づくことができるのである。

空性を体得する

ただし、言葉が作り出す余計な存在物の幻想は、必ずしも形式言語を用いた分析によってまったく新しく見出されたというわけでもない。シェリングの例のように直観的に気づかれてきたことが、より鮮明に、誰の目にも明らかな仕方で明らかに示された、ということにすぎない。そもそも、「馬そのもの」が存在するというのも抽象的な思弁にすぎず、そんなものはないと言われても、そりゃそうでしょうという反応になるかもしれない。

歴史的に考えれば、上で示したことはより長い射程をもつ議論である。なぜそう言うかというと、東洋では仏教においても類似の考察が繰り広げられてきたからである。もちろん、仏教にも特有の論理学（因明）があるにはあるが、分析的にではなくむしろ直観的な仕方で気づかせようとするところに、西洋哲学とは異なる強みがある。

仏教は「虚妄分別《こもうふんべつ》」とか、あるいは「空」などの語のもとに、私たちが実体的に「執着」しているものが「仮設《けせつ》」されたものにすぎないという考え方を強く打ち出している。私たちが存在するものと想定しているもののなかには虚妄が多く含まれている。そしてこれは、自然言語を用いて思考していることと深く関係している。

自然言語は私たちに、名詞的なものはそれだけで存在する実体的なものであると考えさせる。「馬」などの名詞はともかく、「『坊ちゃん』の作者」という名詞句などは、述語ではなくまさに実体を表しているように思われないだろうか。しかし、これらはともに分析によって述語へと身分を変える。述語的なものを内容とする何かが、省略的な言い方によって、実体的な装いを得ているのである。このことを、分析的と言うよりもむしろ体得的に気づかせる点に、大乗仏教の特色がある。

「空」の思想は誰でも聞いたことがあるのに、考え出すと分からなくなるものである。唯識ではよく「虚妄分別」の例として、地面に落ちている縄を蛇と誤認して恐れることが挙げられる。これは直接に「蛇」を虚妄と言っているのだから、一見すると理解しやすい。実際、「蛇」はいわば「へビるもの」なのだから、蛇は述語に過ぎない。

だが、この例だと結局、「縄」の方が真実として残ってしまう。つまり、一本の縄が真実の姿ということになる。[35]一本の縄もまた「縄る」ものだとしても、この場合には蛇とは異なり縄は消えない。分析的に見て、分子や原子といったもの（いわゆる「極微《ごくみ》」）から成るものと見ても、縄が消えてしまうわけではない。もし縄もまた空であると言われるなら、どういうことなのか理解に苦しむことになる。

また、「空」の思想を表すものとして、この思想を大成したとされる龍樹（ナーガールジュナ）の「八不《はっぷ》」がよく知られている。『中論』の冒頭部で、「不生・不滅・不常・不断・不一・不異・不来・不去」という一群の動詞的述語を否定する言辞があり、これらは世界の基本的な見方を構成するものであるから、いわば世界の基本的な見方を打ち崩すような徹底的な空観を示そうとしていることが窺える。中でも特に「生じる」という述語の否定が基本的となっている。だが、これもまた考え出すと分からなくなる。「八不」の最初に（少なくとも漢訳では）おかれる「不生《ふしょう》」は、「生じることはいかなる仕方でも成立しない」という内容である。その論述は、自らによって／他によって生じること、また、自他共によって／どちらにもよらず生じることは、不可能と述べている。これが成り立つのかは別問題として今は措こう。[36] どうしても避けられないのは、そもそも「縁起」つまり事物が様々な機縁のもとにあるということは、機縁のもとに「生じる」ことではないのか、という疑問である。

後者の疑問に対しては、次のように考えれば良い。「いかなるものも生じない」として否定されているのは、「生じる」という述語のある種の側面であって、この述語そのものというわけではない。実体的なもの、「自性《じしょう》」（それ自体で実体的に存在する性質）をもったものが生じるということが、否定の対象となっている。この場合、自性をもったものとは、「ヘビる」もののとしての蛇であったり、「犬る」ものとしての犬だったりを考えれば良い。何も生じないのではなく、こうした固定した性質をもったものが、同じく固定した性質をもったものから生じることの不可能性を示そうとしている。「生じる」という述語に誤りがあるとすれば、誤りは、生じるものが自性をもつと想定される点にある。

『中論』第一章が明確に述べるところによれば、「諸法の自性の如きは縁のなかに在らず」ということこそが、主張の中心にある。すべては縁起するのだから、自性というものはない。自性がないから、自ら生じるとか他から生じるという実体的な把握はできない。自らであろうと他からであろうと、実体的なものから実体的なものが生じると考えると、様々な困難が引き起こされる。それどころか、「生じる」ということが不可能となってしまう。何ものも生じない

[35]「真実」とか「実際」というのは仏教用語として本来は「空」を表す語であるが、今日の通常の用法では、事物の領域における実体的な真理を指すことが多いように思われる。

[36]『中論』上、三枝充悳訳注、第三文明社、一九八四年、九五頁。『中論』が、自らによって／他によって生じることの、また、自他共によって／どちらにもよらず生じることの不可能性を述べるとき、自己原因的な実体（自らによって存在する実体）の可能性を真っ先に否定している。近代哲学では、これこそデカルトやスピノザが根本的な理屈として用いたものであり、『中論』の論述と真っ向から対立する。これに対し、ヘーゲルによる因果的相関の把握や、実体的な産出に対する批判は、むしろ仏教的な考え方に非常に近接しており、彼自身の仏教に対する否定的姿勢を考えるなら、いかにも皮肉である。

のではなく、実体的なものを想定する限りでは、生じることは不可能になってしまう、と言うのである。

この点では唯識学派もいささかも異ならない。不生ではなく「生無性《しょうむしょう》」という言い方を用いることで、「幻事が衆縁に託して生ずるがごとし」という説明をこの学派は行う。[37] これはつまり、縁起していることこそが「不生」だということである。これは『中論』でもまた言われていたことではあった。漢訳『中論』には青目《しょうもく》による注が付いており、そこに「生相《しょうそう》は決定《けつじょう》して不可得なるが故に」とあって、これも同じ点を述べている。不可能なのは「生じる」ことそのものではなく、むしろ自性をもった実体的なものが生じるありさま（生相）なのである。それに対して、空なる実体なき世界ではあらゆることが縁起している。

「不生」が示すのは結局のところ、事物が実体的でないということ（無自性性）であり、主眼は自性をもった実体的個物の概念の否定にある（とはいえ、自性がまったく無ければそれで良いというわけでもないのだが、話を単純化するために措いておく）。

このことを念頭においた上で、先に挙げた蛇の例への疑問に戻ろう。蛇がたんなる平板な一本の縄であることが、幻から通常の認識へといたることであるのに対し、その縄がもし普通に縄と考えられる以上の驚きや働きを私に及ぼすことが分かったならば、つまり、たんなる一本の縄以上の意味をもちうるならば（蛇に見えることもそのほんの一部である）、そのとき縄はさらに「空ぜられた」ことになる。平凡な一本の縄は、たんに物理的な一本の縄である以上のもの、さまざまに利用され、さまざまな作用を及ぼすような、驚くべきものである――それは人を怖がらせもすれば喜ばせもするし、命を奪うことも命を救うこともできる。少なくとも、「縄」という述語は最終的で決定的なものなどではなく、多くの述語の一つでしかない。この縄は、いくらでも異なった姿へと変化するのである。

空の思想は、あらゆるものが縁起していること、そのために自性をもつものがなく、世界がいくらでも変わりうること、つまり「諸行無常」であることを述べる。仏教はあたかも世界の大いなる意味変化を目指しているかのようである。自性をもつものがないというのは、変わらぬ意味がないということでもある。もし蛇に見えた縄が、縄の平板な概念を何ら超えるものではないならば、世界にはもうそれ以上の可能性は残されないことになり、根本的に自由となる道もまた閉ざされてしまう。もし実体的なものがあるならば、縁起は大いに破壊されることになる。自性があるとすれば変化の根拠は失われる。そのため、実体的・自性的なものを解消するような「智慧（般若）」が求められるのである。根本的な可能性を開くことにこそ、空観の実践的な意味がある。

興味深いことに、空観には、分析を通したもの（析空《しゃっくう》観）と、直観的・体感的に行うもの

[37]「依次依他立生無性、此如幻事託衆縁生、無如妄執自然性故、仮説無性、非性全無」（『成唯識論』第九）。

（体空観）とが区別される。分析を通して幻のような実体性を空じるのは、論理分析で行っていることと近い。ややもすれば無味乾燥に陥りがちな論理分析もかつては、哲学的に偽なる問題を解決するという治療的な意義を掲げていたことがあった。だからこそ、分析的方法は画期的なものとして、二〇世紀哲学を特徴づけるものとなったのである。ただ、哲学的に偽なる問題を解決するだけでは、机上の空論になってしまうだろう。分析哲学がもし退屈に感じられるとしたら、それは治癒の意義が見失われたときである。この点で大乗仏教は、はっきりと体得的な空観（体空観）を目指している点で参考になる。

仏教は空疎な議論をしかけようとするものではなく、実践的な理想をはっきりと掴んでいる。空であるとは、世界の意味がいかに固定化して見えても、やはり変わりうるのだということである。私たちが見ている世界の姿が、どうにも変わりそうに見えない安定した世界の姿までもが、がらりと変貌し得るという可能性、現実には到来しようもないように思われる根源的な解放（解脱）の可能性を、縁起の概念によって基礎づけている。概念にとどまらず、空観という直観的・体得的な方法を示しているのである。

消えずに残るもの

しかし、ここで一つの疑問が浮かぶ。幻を消すことで、いかなる真実の世界へといたるのであろうか。分析的であれ体得的であれ、意味の領域に住み着く幻を消し去ることは、重要な前進である。述語づけされるものが、その内容のまま実体化されて存在しているように見えるだけでなく、自性をもった固定的なものとして、しばしば私たちを縛り付けるような効果をもつからだ。そのために、自然言語と表現の仕方が異なる形式言語を用いることで、分析を進めることができた(あるいは、精神統一を図ることによって、分析よりも直観的・体得的な把握にいたることができるかもしれない)。しかし、幻を消すことで、いかなる真実の世界へといたるのであろうか。

幻として消えるものがある、縄がそう見えてきたヘビである。これに対して、縄というものは客観的な、いわゆる物理的な事物であって、恣意的にどうこうなるものではないように見える。だが、縄という捉え方はそもそも人間の用途に即した、いわば人間的な捉え方であり、縄を縄として捉えているのは人間だけかもしれない。そのため、一つの幻を超えて、別の幻の世界へと移ったというのに近い。これまで見てきたところによれば、消えるものは、実体的なものとして考えられたところの一般名詞であり、「犬」「猫」そのものが存在しないのと同様に、「縄」そのものも現前しない。これらは述語の中の一つであるにすぎない。

もしこの平板な縄という事物にいたることが重要であるとすれば、それはあくまでも物体としての縄という構造体について言われることである。ここには、縄であるところの何らかの存在者(=x)が見出されている。これは具体的な存在者を指し示しており、その実在性は幻とは言えない。これこそは、客観的な事物や事実というもの、すべてを剝ぎ取ってもなお残るものと言っても良いだろう。要するに、縄は述語の一つにすぎなかったとしても、縄であるところの何かは確かに実在すると思われる。

では、幻はひとえに述語にかかわるのだろうか。言い換えれば、述語はすべて幻であるということになるだろうか。縄が蛇だと思われて恐れられるとき、それがいかに幻であったとしても、実際に人を恐れさす力をもっている。なるほどそれは、消し去ることができる幻であるかもしれないが、ある種の実在性をもつ。それは蛇ではないにせよ、蛇だと思われたならば、効力を発揮する点では、縄であることと何ら変わらない。蛇でなくなるとは、蛇という述語から離れるということ、いわば憑き物が離れることでしかない。

別の例で言えば、犬そのものというものはどこにもないとしても、「犬」という性質はある種の客観性をもつ。「犬る」という動詞があるといっても良い。動詞の内容にしても性質にしても、まったく存在しないというのは受け入れがたい話ではないだろうか。何しろ、私たちは「犬」そのものについて客観的に語ることができるのだから。つまり、これこれこういう哺乳類であるといったふうに語り、学術的にもそうできるのである。ならば、述語的な性質、あるいは特性などと呼ばれるものは、やはり何かしらの実在性をもつと言わねばならないだろう。

この点は、述語についてさらに述語づけがなされることからも理解される。個物は述語的な性質の実例 instance となっているが、述語の多くはさらなる述定の対象となる。たとえば、「赤い」と「青い」は共に「色である」と述定できるし、こういった述定はありふれたものである。「三角である」といった述語もまた、さらなる述定（「形態である」、等々）の対象となるため、この場合はさすがに古来そうされてきたように、ある種の（この場合は理念的な）存在性をもつものと考えられる。述語によって示される性質は、ある種の「普遍者」であるが、それはそれとして、ある種の存在論的な身分をもつだろう。少なくとも私たちは普通にそう扱っているのだから。

個別者にしか存在を認めず一般的なものは言葉に過ぎないとする唯名論は、一階の述語論理に固執するのだが、それはかなり窮屈な立場である。自然言語に即したかたちに論理学を用いようとすると、一階のものでは不十分で、どうしても二階以上の、つまり、述語に対するさらなる述語づけを認めるような高階の述語論理が必要となる。そのような形式言語においては、述語によって表されるような性質もまた存在するものとして考えられる。それだけでなく、連言的性質、たとえば「三角でありかつ四角である」といったものもまた、同様に考えられるであろう。[38] 私たちは犬そのものについて考えることができるし、むしろ私たちはそればかりをしているとも言える。消えるのはたんに「犬そのもの」という抽象物であり、犬そのものについ

[38] だが、否定的性質や選言的性質は、さまざまな理由によって、論理的操作として通常は実在性が否定される。こうした諸点については、アームストロング『現代普遍論争入門』（秋葉剛史訳、春秋社、二〇一三年）。

て考えることができるし、犬性にはある種の存在性がある。

　あらゆるものが幻であるわけではない。幻として消えるとは、いわば憑き物が離れるということであって、離れた憑き物にもなお客観性があり、その点ではたんに消えてしまうわけでもない。意味的なものの中には消えてしまうものも数多くあるが、だからといって、なんでもかんでも消えてしまうというわけではない。これはまた、意味が変化する場合に、何でもでたらめに変化するわけではないということでもある。意味的なものの中には確固とした存在性をもつものがある。次に、こちらへと目を移そう。

2 確固たる意味について
――存立・出来事・事実

構文的な対象性――「存立」か「実在」か

言語はその統語論的な構成――つまり言葉を文法的に組み合わせた構文――によって、意味を作り上げる。それによって幻影を作り出すと同時にまた、同じくその統語論的な構成によってしか表現できない、確固とした客観性をもつものを数多く作り出す。言語的な構文を通して表現される何かは、しばしば「対象的なもの」や「事態」などと呼ばれ、大きく見て三つの基本的な特徴をもっている。

第一に、言葉による表現の中でのみ示されうること。単語を組み合わせた表現を見てみよう。よく言われるように「黄金の山、四角い三角形」などは、言葉の上でしか存在しないあり方をしている。普通には結びつかない述語を二つ結びつけているのであるから当然であろう。しかし、そもそも「三角形」と名づけられるものの内実もまた、三点とそれらを結ぶ三線分からなる図形として、少し複雑な構文を通して示される。こうしたあり方は、複雑な構文を通して姿を現すところの、言語上にしかない意味的なものである（意味という語を用いず、むしろ「知識」としての性格を重んじる立場、たとえばポパーの「世界3」といった見方もまた、言語の役割に深く依存している）。

第二に、客観的な扱いがなされるということ。たんに言葉にすぎないというわけではなく、それについて誰もが認識するという仕方で客観的に扱うことができる。今あげたものすべて、誰もがいわば同じ仕方で客観的に取り扱うことができるのであり、隠されたところは何もない。三角形の場合がすでにそうであるように、いわゆる科学的な取り扱いをする場合には、こうした意味的・理念的なものこそがむしろ特権的に研究対象となるのである。ついでに述べれば、意味の客観性があればこそ、つまりその恒常性があればこそ、その変化について語ることができるのだ。

第三に、言葉による表現の中にのみ存在することで、客観的な扱いがなされるにもかかわらず、現実とかかわっていること。虚構もまた言葉や表象の中にあり、（多くの人が同じ物語世界について語るように）客観的な扱いができるが、現実とは相容れない。「黄金の山、四角い三角形」は確かに普通には存在しないし、特殊な場合をのぞいて、虚構と呼ぶことができるだろう。それに対して「三角形」は、実際にあることのできるものであって、断じて虚構的ではない。厳密には紙の上に現前しようがなく、ある意味では頭の中にしかないにしても、虚構ではなくむしろ「真実」というべきだろう。

三角形は少し単純過ぎて、上記の特徴が見えにくいので、さらなる多角形ついて考えた方が分かりやすい。古くから指摘されてきたように、きわめて多くの辺からなる多角形について、考えることはできるけれども、目の前に描かれた仕方で扱うわけではない。[39]客観的に扱うことには変わりがないが、辺の数が多くなれば、誰も具体的に思い浮かべることができなくなる。こう考えると、ほとんど「四角い三角形」と変わるところがないような取り扱いをしているが、「千角形」は何ら矛盾を含まないために、頑張れば図形として目の前に現前させることができる。しかし、言葉なしには理解できないのだ。

この、実在とは異なる存在、すなわち「対象的なもの」こそが私たちが「意味的なもの」という言い方によって考察してきたものだが、必ずしもこの語を用いなければならないわけではない。ここでは「対象的なもの」とか「事態」とかいう呼び方を用いたが、統語論的にしか成立し得ない対象的なものを指すこうした語は、歴史的にさまざまな混乱した仕方で用いられてきたものである。[40]

[39] デカルトが述べたように、私たちは千角形や万角形を三角形と同じようには思い浮かべることはせず、あくまでも知性によって取り扱っている。デカルト『省察』(山田弘明訳、ちくま学芸文庫、二〇〇六年)、第六省察。

では、虚構と呼ぶこともできる「四角い三角形」は、いくら「三角形」と同じく客観的に語りうるとしても、どのように違うのだろうか。少なくとも、ある規定を満たすものが存在しないことにも、二通りの仕方を区別しなければならない。「四角い三角形」とは、「四角く、かつ、三角である」という述語を満たすようなxであるということになるが、この二つの述語は相互に排他的であるから、そのようなxは見当たらない。四角と三角とは相容れないものであるから、それを同時に満たすものは理屈の上から無いと断言できる。それに対して、「翼のある馬」ならば、二つの特性は相容れないとも言い切れないし、どこかにいる可能性が捨てきれない。「四角い三角形」については、そういう図形を客観的に取り扱うには、相互に排他的な述語を満たすという困難があるのに対して、翼のある馬は、実際にいるかどうかは別として、少なくとも成立しうるとも考えられるからだ。「四角い三角形」と「ペガサス」と「三角形」は、同じく言葉によるものであるとしても、「ありえないもの」「ありうるが無いもの」「あるもの」という異なる種類をなしている。

ここで問わねばならないのは、いましがた論理分析したときに出てきた「xが見当たらない」とはどういうことかということだ。論理表示をする際には、すでにその前提された論理の形式にしたがったある種の存在論を前提としている、と哲学では指摘されてきた。つまり、変項xの値となるものが、存在するものとしてあらかじめ想定されている。ここでは通常の一階の述語論理を用いて考えているのであるが、変項の値となるものとして、実体的に存在する個々の「個体」を想定しているのである。[41]

だが、現前するものとしては見当たらなくても、理念的に想定できるとすれば、この考え方ではうまくいかない。実在しないものとしての「対象的なもの」を考えるということは、実在することとは別に、存在の領域を設定しているということである。その場合、述語をみたすx はあるが、それは実在しない、ということだからだ。そのため、「実在する」という述語が、他の述語と並ぶ仕方で、想定されているということになる。言葉をかえれば、「翼をもち、かつ、馬である」ものは「ある」が、それが「実在する」かどうかは別問題だ、と考えているのである。[42]

このように、「ある」と「実在する」とを区別するとき、実在する領域とは別の領域を認め

[40] マイノングは対象と対象的なものとを区別し、後者の理論を作ろうとした。フッサールは事態という語を好んで用いている。こうした語をどう用いるかについてはさまざまな議論があり錯綜しているが、本書での用い方は後述する。

[41] 広く知られているように、この考え方は「存在論的コミットメント」と呼ばれる（クワイン前掲論文）。

[42] 個体の身分をめぐるマイノング主義と呼ばれるこの考え方は、量化子の解釈変更と述語の付加により表現できる。まず、量化は純粋に量のカテゴリーとして非存在者にもかかわるものとする、つまり存在量化子は個別量化子 particular quantifier に読み替えられる。次に、実在を示す述語（「E!」あるいは「𝔈」などと表記）を用いて、通常の論理表示に「& E!x」などを付加する。この点については、グレアム・プリースト『存在しないものに向かって』（久木田水生・藤川直也訳、勁草書房、二〇一一年）に詳しい。

ていることになる。「ある」では言葉としてこころもとないので、それを「存立する」と呼び替えることが広く行われる。ペガサスはありうる（としよう）、それは存立している、しかし、実在していない。幾何学的な三角形は存立するが、実在しない。このように言うとき、存立するということにもたんにありうる想像上のものと、理念的で実在のモデルとなるものとが、区別されねばならない[43]。

以上のように、個別的なものからなる実在的な領域ないし世界と、構文を通して意味される「対象的なもの／事態」の集合という存立するものの領域を区別することには、大きな意義がある。後者を基盤として、さらに「実在する」という述語を新たに述語の仲間に加えることで、意味の領域から事実の領域へと移行できることになるからだ。これは意味の領域を基準とした存在の考え方であり、ここでは「存在（実在）の意味」が先ほどとは変わっている。この一歩を踏み出すことは、「意味」というものの領域を基盤とすることなのである。

隠された出来事

論理分析は、自然言語上に巣くう幻影を打ち砕くように見えたし、それによって、存在者の数が減らされたように見えた。それに対して、対象的なものや事態というものに目をやると、どうやら「意味的にある」あるいは「存立する」ことと、現前するという仕方で「実在すること」とを区別しなければならないということが見えてくる。そうすると、存在者の数が減るばかりではないことが分かる。次に目を向けるのは、論理分析によって新たに隠れた存在者が見出されたという珍しいケースである。

現代哲学では有名なこの存在者は、「出来事」と呼ばれる。これは普通に言われる出来事とは少し異なっており、行為文の論理分析によって、その存在が要請されてしまうという奇妙な存在者である。この理論は、もとはといえば副詞的修飾語の論理表示をめぐって示された、かなりテクニカルな関心に基づくものであった。[44] 一つの例を用いて簡潔に説明すると次のようになる。

「太郎は次郎をその刀で斬った」という文からは、「太郎は刀で斬った」ことや、「太郎は斬った」ことがすぐに導かれ、これは誰の目にも明らかな、自明の推論である。ところが、困ったことに、通常の一階の述語論理ではこのような推論をうまく表示することが難しい。な

[43] 細かく考えるならば、これだけでは済まない。矛盾するようなものは存立し得ないし実在し得ないという点に関しては、ひとまず正しいと想定しても良いだろう。しかし、「赤い情念」のように、詩的という以外に意味を持ち得ない表現はどうかという問いが残る。「実在する」からその他の「ある」を区別したとしても、その中でなおさまざまなケースを検討しなければならないが、この点の追究はここでは行わない。

[44] デイヴィドソン『行為と出来事』(服部裕幸・柴田正良訳、勁草書房、一九九〇年)による。日本での考察としては、柏端達也『行為と出来事の存在論――デイヴィドソン的視点から』(勁草書房、一九九七年)がある。

ぜかというと、通常はこれら各々の文には（ここでは時制を問わない）、「太郎は次郎をその刀で斬った」なら「xはyをzで切る」という三項述語、「太郎は刀で斬った」なら「xはyで切る」という二項述語、「太郎は斬った」なら「xは切る」という一項述語が用いられるからだ。自然言語の場合と異なり、通常の形式論理の枠内では、異なった項数の述語は互いにまったく無関係なもの、相容れない述語と見做され、それらの間に推論的な関係を考えることはできないとされる。この点を工夫して何とか自然言語に近づけようとする試みも可能ではあるが、どうもスッキリとはいかないことが知られている。

それに対して、これはすべて太郎が次郎をその刀で斬ったという一つの「出来事」をめぐる述語だと考えれば、ことはうまく運ぶ。主語述語関係をできるだけ保持したまま、出来事をめぐる述定に変えることもできるにせよ、つきつめて考えれば、主語述語関係はすべて解体して考えてしまった方がより明快となる。

つまり、太郎がしたというのも、次郎がされたというのも、刀が用いられたというのも、すべて一つの「出来事」に対する述語であると考えれば、それら多くの述語の連言として行為が整合的に考えられることになる。ある出来事について、それは「斬る」ことであり、かつ太郎がそれの主体であり、かつ次郎がそれの被害者であり、かつそれはその刀によることである、とするのである。[45]

もう少し簡単な例で見てみよう。目的語をとらない単純な文、たとえば「花子は歩いた」

（「xは歩く」という一項述語）は、「花子について、それが歩いた」ということになる。これはこれで問題はないのであるが、これも先に挙げた文と同じ構造をしていると考えると、表層文法上は現れない個別的出来事をめぐる述定として書き換えた方が良いということになる。つまり、「ある出来事e が与えられ、それは歩くことであり、それの主体は花子である」というふうに。[46]

こうすると何が良いかというと、「花子はゆっくりと歩いた」「花子は花屋に向かって次郎と小走りで歩いた」など、いくらでも付加的な情報を、連言のかたちで付加していけるということである。「ある出来事eが与えられ、それは歩くことであり、花子がそれの主体であり、それはゆっくりとしており、それは花屋に向かっている」とすれば良いからである。なお、この場合の出来事eとは、「この日の花子の散歩」にほかならない。

---

[45] 論理表示をすれば、およそ次のようになる。なお、eは出来事個体が入る変数である。∃e（[斬る](e) & [主体である]（太郎, e) & [被害者である]（次郎, e) & [によって]（その刀, e))

[46] デイヴィドソンのもともとのやり方では、「ある出来事eが与えられ、花子がeにおいて歩いた」ということになる（前掲書）。しかしここでは、より応用度が高い表示方法を用いている。なお、この「新デイヴィドソン方式」を開発したテレンス・パーソンズは、出来事から状態などへ拡張する考察をも行なった（Terence Parsons, *Events in the Semantics of English*, MIT Press, 1990）。なお、出来事についての哲学的考察によるパーソンズ批判として、柏端前掲書がある。

明らかなように、一般に出来事eに対して、それがどういう動作であり、動作主が誰であり、様態はかくかくしかじかで、さらに日時はいつ、場所はどこ、など多種多様な述語を、限りなく連言的に付加していくことができる。こうして示されるのは、一つの特定の出来事であり、その出来事がもつ様々な性質が、「かつ」によって記述されているのである。そうした性質の数は、有限とは言えないだろう――一つの出来事は実際には多様な側面をもっているからである。

これは自然言語の表層的な文法構造を壊しているように見えるけれども、しかし、考え方としてはきわめて自然ではないだろうか。例外はあるにせよ基本的に行為文は、出来事に関する述語づけとして考えた方が、しっくりとくるのである。ここで行為文と言うのは、何らかの個別的な出来事や状況のような事象に関して何事かを叙述する文である。さらに言えば、特に行為に限らず、ある特定の状態に関する文でも同様の扱いをすることができる。なぜなら、特定された状態もまた、そういう状態の出来事として、同じように扱えるからである。何でもかんでもこの形式で扱えるわけではないにせよ、行為や状態に関する実に多くの文がこの形式で示されうる。[47]

だとすると、こうした諸々の文の中に隠れている個体としての「出来事」が、個々の物体的な個体と同じように、数多く実在していると私たちは考えていることになる。こうして論理分析は、存在するものの数を減らすだけでなく、こうして出来事個体という存在者を無数に、意外な仕方で掘り起こしてしまったのである。もちろん多くの出来事は、自然言語でも何らかの名称でもって呼ばれている。論理分析がなくても、普段から出来事をめぐって私たちは語り合っている。けれども、「この日の花子の散歩」などは、特に名称をもつような出来事ではないだろう。自然言語で用いられる以上に無数の出来事個体を見出してしまったところに、この考察の面白さがある。

出来事という存在者

行為についての文が、出来事をめぐる述定の連言であるというのは、結局のところ、行為をめぐって何かを述べるということが、その行為を中心とした出来事について、さまざまな性質を叙述することに等しいということである。だが、さまざまに述定されるところの「出来事」とはいったいどういう資格をもった存在者なのか、モヤモヤしたものが残らないだろうか。

[47] 扱えない例としては、AはBであるといった判断がある。こうした文が、もし主語についての恒常的な属性を示しているならば、それは出来事や状態に関するものではないために同様に扱うことができないだけでなく、わざわざそんなややこしいことをする必要もない。恒常的な属性を示すような文は、今まで通りの論理表示で何ら問題がないからだ。

個物に対しては単称名辞が対応していた。同じように、出来事はひとまず、名詞・固有名・代名詞で表示されるという特徴をもっている。「阪神淡路大震災」などのように、個体として扱われるのである。一方で、出来事もまた個別的なものだけでなく、タイプとなる場合もある。個別的で一回限りの出来事だけでなく、何度も行われるような一般性をもつ出来事（「花子の散歩」）もあって、この二種類を一緒くたにすることはできない。少なくとも上で見たような行為文をめぐって見出される出来事は、「この日の花子の散歩」のように特定のもの、個別的なものである。

ここではタイプとしての出来事については扱わず、個体としての出来事へと目を向けよう。ただし、特定の出来事、個別化される出来事であっても、個体としての輪郭は、かなり曖昧なものにとどまる。この点で、物体的な個体とどこまで同じかを、少し見ておく必要がある。物体もまた、大きなものになればなるほど、部分と全体との関係が疑問となる。同様に、この行為とあの行為は同じ行為であると言われるのは、おそらく同じ種類の行為であるということであろうが、同じ一つの行為の中の、二つの動作である場合もあろう。腕を回す動作と、足をばたつかせる動作は、ともに一つの泳ぐという行為の一部である。物体の場合と同様、規模が大きくなると、こうした問題がより複雑さを増す。

たとえば、「明治維新」という革命はなるほど一回限りのものかもしれないが、とてつもない空間的時間的な幅をもつことにより、どれほど個別化されているのかどうか疑問となる。近江屋事件は明治維新の一部なのか、そうではないのか、といった具合に、輪郭がぼやけるのである。明らかに、「この日の花子の散歩」とは同列に扱うことがためらわれるような対象ではないだろうか。

普通の個物とは異なるように思われる点がもう一つある。出来事の多くは、名前をもたないだけでなく、名詞句として表すことも決して容易ではないのである。これは今の場合、行為に即して出来事を見出したということと関係している。言語上の対応物ということでより適切に思われるのは、たんなる名詞・固有名ではなく、むしろ動名詞句といったより複雑とも思われる構文であるという点である。こうした構文によって表現されるものの研究は、西洋諸語では古くから行われてきている。

出来事をめぐる議論が深められてきた英語では、動名詞句と、that節ないし名詞節との違いが、出来事を考察する場合によく用いられる。動名詞句は、単称名詞のように扱うことが可能である。「太郎による次郎の殺し」を表すTaro's killing of Jiro（あるいはThe Killing of Jiro by Taro）は、単称的に扱える確定記述的な名詞句である。もし出来事が個体と同じような身分であるとするならば、単称名辞と同じように扱える動名詞句は、すぐれて出来事を表すに相応しい構文ということになる。

しかし、動名詞句には他にも重要な用いられ方がある。馬とは「馬る」ものであると述べたが、こうして述語を満たすということもまた、行為と同じようにして扱えるのである。一般に、

xがPであるというのを、x's being P と言い表すことができる（こう言い表されるものを「事態」と呼び習わす有力な見方もある）。さて、こうしたものも果たして出来事といっていいかどうかは、この述定が恒常的な性質を表すか否かといったさまざまな条件によって決まってくることではある。しかし、出来事であろうとなかろうと、動名詞句を用いて基本的な述定を言い表すことができることには変わりがない。

それに対し、名詞節 that Taro killed Jiro（「太郎が次郎を殺したこと」）は、動名詞句と同じように扱えるわけではない。似たような内容であることには相違ないが、少なくとも構文上、名詞節は完全には名詞的に扱えるわけではなく、さまざまな制約（主語にもってくると不自然になるなど）を受けるのである。したがって、名詞節による表現は、個体と同じように扱われるものとは異なる何かであると考えられ、論者によってはそれを「事実」と呼ぶことを提唱するなどの議論がある。[48]

何を「出来事」「事態」あるいは「事実」とするかは、論者によっていろいろと変動があるが、ここでこの点にこだわる必要はない。ここで確認しておきたかったのは、名詞節と動名詞句の区別が英語圏での思考でよく用いられるという点であった。

だが、実は日本語ではこの文法的な区別をそのまま用いることはできないのである。同じように維持できる場合もあるが、そうでない場合が多いのだ。that 節としての名詞節は、少なくとも「こと」節として表示せざるをえないだろう。名詞節 that Taro killed Jiro を「太郎が次郎を殺したこと」としたように、である。だが、動名詞句にあたるものは、常にうまく示せるとは限らない。先にも、動名詞句 Taro's killing of Jiro は「太郎による次郎の殺し」としたし、こういう仕方で言えるのならば問題ないのであるが、そうはいかないのである。

たとえば、「太郎による座ったままの眠り」といった言い方はいかにも不自然であろう。この場合には、「太郎が座ったまま寝たこと」と言わざるをえないように思われるのである。このように、名詞節の場合とは異なり、動名詞句にあたる構文は、日本語には直接的に移せないように見える場合がある。だからといって、名詞節と動名詞句の区別に相当するものを無視して、すべて「こと」をつかった名詞節に一本化してしまうならば、それはそれで単純化しすぎであろう。

こうした様々な性質により、出来事をどう考えるかというのは難しい問題をはらんでいるが、そもそもどうして出来事に目を向けたのかと言えば、結局のところ、私たちは出来事を存在者として考えているからである。これは直感的にもそうであろう、なにしろ「阪神淡路大震災」や「明治維新」といった出来事について、あるいは「この日の花子の散歩」についてでも良い

[48] 名詞節によって示されるものを、出来事と区別して「事実」ないし「(成立した) 事態」と呼ぶことがある(ジョナサン・ベネット)。出来事個体を認めない論者であれば、かえって動名詞句を用いて「事態」という存在者を示していると考えるのも自然であろう(デイヴィッド・アームストロング)。

が、私たちはその実在性を疑うことができないのであるから。こうした出来事を、物体的な個体と同一視することを、私たちは躊躇う。なぜなら、出来事は「これ」として示すことなどできず、明らかに言葉を通してしか、しかもやや複雑な構文を用いてしか、言うことができないからだ。出来事は確かに実在するが、少なくとも意味的な領域を通してでなければ到達できないある存在者なのである。

たんなる意味から「事実の概念」への移行

実在する世界の中には物体があり、また出来事がある。さて、出来事へと目を向けたとたんに、さまざまな存在者が我も我もと名乗りを上げてくる。動名詞句によって「事態」が示される、あるいは名詞節によって「事実」が示される、などといったふうに。「事態」については、構文的に示される対象的なものを言い表すときに用いたから、ここで位置づけを示しておかないといけないのは「事実」という存在者である。

「こと」の内容に相当する実在する何かを事実と呼びたい。文法的には、that 節の内部は完全文であり、それに対応する何かが事実であるとすると、それを名詞化することで、事実をめぐって何かを述べていることになる。ただし、事実をめぐって何かを述べるとはどういうことなのか、どうすれば各々の文は、確定的に事実そのものに符合する記述となるのかという問題を、片づけておく必要がある。少しだけ複雑な話になるが、意味から事実へといたる道筋を理解するために、少し触れておきたい。とはいえ、この節を読み飛ばしても続く議論にはあまり影響しない。

ここでは「事実」を一般的なものとせず、個別的な出来事のようなものだと考えてみよう。というのも、行為をめぐって出来事を導入したけれども、たとえ行為にかかわる動詞でなくとも、少なくとも何らかの動詞を一つ以上含んでいる多くの文が、同様に扱えるからである。「AはBである」といった恒常的な述定を別にすれば、個別的な状態などをめぐる文もまた行為文と同じように扱える。そうすると、多くの文の内容が、ある事実 f に対するさまざまな述語づけの集まりというかたちに直して理解することができる。そうすることで、時間空間の中に生じる個別の事象を総じて出来事と同じように扱うことが可能となる。

ところで、事実をめぐる記述は、前提となるあらゆる指標詞や、その発話の状況を確定させることによって、はじめてその内容が完全にその対象を規定するものとして確定する。内容が確定するとは、最終的に、余すところなく完全に事実を写し取るということである。このとき、事実の受け止め方をめぐる揺れは消え、意味内容と指示とは同一のものに帰入する。しかし、そのためにはすべての制約が定まる必要がある。つまり、あらゆる条件、すなわち「時、場所、話し手、聞き手、指示対象の系列、可能世界……」などおよそ考えうる限りのすべての条件が、定まっていなければならない[49]。

こうした指標は、実際問題としてその数を確定させることが難しい。いや、たんなる指標詞を含んだ条件だけならば、有限個かもしれない。だが、事実を描写するようなあらゆる事柄を、この事実に対する述定として考慮に入れれば、もちろんそれは無限に至るであろう。出来事について見たように、さまざまな副詞句の内容が、付け加わっていくことを考えなければならない。

ここで何よりも重要なことは、条件となるさまざまな述定が、事実を限定するための連言を構成するということである。参考になるのは、個体の概念をめぐって繰り広げられた、近代哲学の考え方である。概念は通常、一般的な内容をもつ。それに対してライプニッツは、概念が個別性へはいたらないという考え方をくつがえす仕方で、「個体概念」の理論を作り上げた。その考え方の核となっているのは、述語の連言が有限なものにとどまるか、それとも無限の連鎖となるか、ということをめぐる考察である。

ライプニッツによれば、カエサルという個体は、ルビコン川を渡った、等々の無数の述語づけの連言としてはじめて概念化される。無数の述語から有限個を取り出せば、それはカエサルという人物の一側面となっているのである。しかし、もし有限個の連言にとどまるならば、カエサルは唯一の人間へと定まらない。たとえば、有力者の常としてカエサルには影武者がいたとするならば、この分身はカエサル自身とほとんど同一の規定をもつだろうし、二人を区別して本人を特定するためには、詳細な規定が必要となるかもしれない。唯一の人間の概念となるためには、実際上は有限個の規定で十分かもしれないが、原理上はそうではなく、あくまでも無限に連なる連言によって、はじめて個体の概念が定まると考えられる[50]。

個体の例としていつも人間が想定されるが、それは人間がすぐれて個別的なもの、つまり一人ひとり異なる個性をもつものだということに基づく。だが、ライプニッツが「一つとして同じものを見つけることができない」と述べたのは、人についてでなく木の葉についてのことであった。このことからも分かるように、重要なのは人間がもつ固有性などではなく、個体がもつ個別性である。したがって、実は出来事であっても、事実であっても、それが個体的であるかぎりは、同様に扱われる必要があると考えることができる。

個別的なものの個別性は、無限の限定をともなうものと考えれば良い。そうすれば、個体的なものとしての出来事や事実もまた、記述においては、少なくとも無際限の述語の連言によってはじめて確定的に、つまり唯一のものとして指し示されることになる。すでに述べたように、個別的な出来事もまた、「それは歩くことであり、花子がそれの主体であり、それはゆっくり

---

[49] こうした無数の指標や参照点による状況の確定という考え方は、初期の形式意味論にも見られる。次を参照されたい。野本和幸『現代の論理的意味論』（岩波書店、一九八八年）、二五八－二五九頁。

[50] ライプニッツ「形而上学叙説」（『形而上学叙説 ライプニッツ－アルノー往復書簡』所収、橋本由美子・秋保亘・大矢宗太朗訳、平凡社ライブラリー、二〇一三年）。

としており、それは花屋に向かっており……」と連言が続いていた。あらゆる個別的な事実に対して同様のことが言える。そして、個体概念の理論が示すように、厳密に言うならば、省略ではなくそもそも可能となる有意義な連言が有限個にとどまるならば、個体の規定は不完全なものとなる。[51]

もちろん、無数に続いていく連言の連鎖は、事実が唯一的なものとして確定するための極限的な条件でしかない。行為文が、出来事 e についての文と解釈され、それに対するさまざまな連言もまた、伸ばしたり縮めたりすることが自由にできたように、これらの連言による限定もまた、付け足したり省いたりできるとしよう。個別的な事実をめぐるあらゆる文が、その特定の事実 f に対する連言を形成していると考えられる。私たちはこうした指標や参照点の一群をそれと意識せずに前提にして、文の内容を確定させているにすぎない。

たとえば、太郎が「私は幸せだ」というのもまた、事実に関することだとしよう。これは状態としての出来事であり、個別的な事実である。普通に言うだけならば無数の連言にはいたらずに、「私は幸せだ」で十分かもしれないが、これが事実に関する概念を構成するとすれば、それは単称的な事実として、多くの限定をともなっている。これは「ある事実 f が与えられ、それは幸せであるということであり、太郎がその主体であり、東京でのことであり、令和五年某月のことであり……」ということになろう。ただし、これはあくまでも厳密に考えた場合のことであり、実際上は、私たちは無限の連言を考えているわけではない。この点は、出来事文の場合と事情は同じである。

単称的な事実を記述において規定するためには、無際限に増えていくしかない連言を確定させる必要があると述べた。連言はあたかも無限級数のように連なっていくのはなぜかと言えば、それは個体性というものの特徴であるからである。逆に言えば、指標や参照点が有限にとどまれば、単称的な事実ではなく、単称的な事実を前提とするもののそれを省略した仕方で示すか、それとも一般的な事実を表すものかの、どちらかとなる。

さて、無限の連言を通して確定された内容は、事実を確定的に記述した内容として、世界の中で起きていることを表している、つまり、「事実の概念」となっている。事実の概念となった文は真理へと帰着する。偽なる文も真なるものに劣らず豊かな内容はもちうるが、しかし少なくとも「事実の概念」とは食い違っている。ある事実に関するすべての真なる文は、無数の連言による確定の極限としての「事実の概念」に基づいて構成される。こうして、いわば意味から事実へと移行することができる。[52]

[51] 逆に言えば、単称的でない事実、つまり、一般的なものにとどまる事実とは、有限個の連言、しばしばごく少数の連言によってのみ記述されるような事実ということになる。

[52] この点について、記述がもつ性格についての検討に入る必要が出てくるが、主題から離れるためここでは立ち入らない。古典的文献としては、ストローソン『個体と主語』（中村秀吉訳、みすず書房、一九七八年）が挙げ

とはいえ、実際に客観性が成立する時は、次に述べるようにまったく別のことが生じている。

られる。なお、意味と事実の関係について西田幾多郎は、「それ自身の中に何等の自覚的限定の意義を有せない意味の世界という如きもの」が「自己自身の自覚的限定の意義を有った時、我々の事実の世界と考えるものが成立する」と述べている(『無の自覚的限定』旧版全集六巻三七頁/新版全集五巻二九頁)。これは、事実がもつ無限の限定を想定したものと考えることができる。

3 事実のもつ客観性

事実を知る〈私〉

哲学的な言説ではしばしば、事実そのものの認識が不可能であるように言われてきた。しかし実際上、多くの特定の「事実」を私たちは知っており、完全に個別的な事実を把握してはいなくても、特に不自由するわけではない。つまり、事実の概念をもっていると考えても何ら問題はない。個別性にいたらぬ事実とは、繰り返される事実、類型的な事実であるが、その中に個別的な事実が含まれるためである。そういった事実ならば、しばしばごく少数の述語によって、せいぜい有限個の述語によって表現されるため、世界は事実を示す命題によって十全に把握されうる可能性があるし、人類はそのような認識を拡げてきた。

一般的な事実についてなら、もちろん私たちはいくらでも認識しているのだから、事実そのものが把握し得ないというのは、一般的な事実についてのことではなく、個別的な事実についてのことであろう。物自体の認識は不可能である、といった見解が生まれる大きな理由は、私たちが意味の領域に立脚していること、意味の領域を通して個別的な事実へといたらねばならないという点にある。前節で見てきたように、文の内容として個別的な事実の概念へといたるときには、厳密に言うならば、無数の述語の連言が要請されることになる。つまり、個別的な事実にいたるためには無限に進行する限定が必要である。だとすれば、そのような事実へといたることは確かに困難であるし、ライプニッツが個体概念について述べたように、その完全なる把握は無限なる知性に対してしか与えられていないということになるかもしれない。言い換えれば、私たちにとっては、無限に続く過程の行き着く先として、「極限」としてしか表象されない、ということになるだろう。

たとえそうだとしても、私たちは一般的な事実についてのみならず、個別的な事実についてもまた多くを語っているように思われる。そのとき、無数の述語の中から取り出された、たかだか数個の述語によって語りを成立させている。その他の述語については、多くの指標詞とともに、省略している。取り出されたサンプルといっても、一般的な事実についてそうであるように、ごくわずかのサンプルで事足りるのであって、余計な限定を付け足すことは実用的なことではないだろう。どうしてそういうことができるのだろうか。

実際のところ、個別的な事実の「概念」を得る必要はない。取り出された少数の述語は、指示対象としての事実について言われるのであって、指示対象を前提するかぎり、それへの述定を完璧なものにする必要はどこにもないのである。私たちはつねに物自体ないし事物自体を固定的に指し示しているし、事実そのものについて何ほどかの理解を得ている。事実へといたる無限に進行する限定を把握してはいないものの、ある程度の把握によっておおよその輪郭はつかめるのであり、それ以上は、通常は不必要ということになる。

現実には無数のひだのようなものがある、そして現実のひだを必要以上に押し広げる必要はどこにもない。とはいえ、省略された連言は、どのようにして省略されることができるのか、と問うことはできるだろう。明らかにそれは、文脈によって補われているのである。P1 & P2 & P3……と続く述語の連言の中で、P1だけ挙げれば、それ以下は文脈によって補われる、というわけである。

たとえば、「太郎は次郎をその刀で斬った」という出来事ないし事実について言えば、それは「いつ・どこで・どのように」などの無数の属性が連言されるはずである。そうできるのは、事実がそれだけ豊かな規定性をもっているからである。だが、そうした属性の中から必要なものだけを取り出せば、通常は事足りるであろう。今もし斬ったということだけが焦点となるのならば、「何で」とか「いつ・どこで」とかは必要のない情報となる。また、もし私たちがこの事実を予め知っていたのだとすれば、それ以上の情報はいずれにせよ文脈によって補われる。こうした仕方で、私たちは必ずしも無限の連言を経ずとも、その中のいくつかを取り出すことで、事実そのものを指示し、それについて語り、思惟している。

こうして文脈を補っているものは何か。それは、この発言を理解するものとしての〈私〉である。〈私〉は発話者であったり聞き手であったりするが、いずれにせよ省略される文脈を補うという役割を果たしている。もちろん、完全に補いきる必要はない。ただし、補い方があまりにも不十分であるならば、文が指し示している事実を取り違えるということが起きるだろう。曖昧な仕方で、ないし不十分な仕方で理解するかもしれない。あるいは、文を間違って理解したり評価したりするかもしれない。

そもそも、〈私〉の視野は限られている。つまり、私一人が知りうることには限界がある。実際に、私たちにはうまく理解できない、あるいはきわめて浅い理解しかできないような言葉で世界は溢れているのではないだろうか。世の中にほとんど無数とも思える文章があるのに、その中できっちりと理解できると思われるものは、それほど多くはないだろう。

たとえば、古典的な思想書と呼ばれるものは数が限られているが、その中のどれほどを、人に説明できるほどにまで理解しているだろうか。一つの古典的な著作を理解するために何年もの研鑽が必要と言われる場合も多く、仏教でも「唯識三年、倶舎八年」という言い方がよく知られている。[53] 大蔵経を全て読むというのが仏教徒の務めの一つだとすれば、成唯識論と倶舎論だけで十一年かかる以上、いったい何年かかることになるだろうか。

〈私〉の視野は限られており、〈私〉はしばしば間違いを起こす。この語の代わりに、自己とか自分などと言っても良い。たとえ意味の領域から事実へといたることができるとしても、そういったことが権利上は言えるとしても、実際にすでに事実へ届いているかどうかはまったく別の話である。そもそも個人の能力など限られているのに事実にいたるなどと、客観性を獲得するなどとどうして言えるのか、という問いへと私たちは導かれる。まずは簡単に素描してみよう。

異なる者の認め合い

客観性とは何かを理解するために、少し現実離れした想定かもしれないが、〈私〉の見解が私一人の局所的なものとして、他人がもつ観点からは離れた、ただ私一人のものであるという状態を想定してみる。他人の観点を受け付けない、自分一人の単一な視野がそこにある、としよう。他人がもつ視野からは離れているというのは、私一人のものとして単一的な、いわば単層的な視野がそこにあるということである。他人の観点の影響をまったく廃した、「独りよがり」な私一人の視野へ立ちかえることで、何が見えてくるか。

まず、こうした一身への立ち返りが可能である理由の一つは、〈私〉というものが身体的な存在として独立性をもつからである。〈私〉が身体によって一区画をなしているからである。

---

[53] この年数は、実際に進む頁数で数えた場合に「解読・講義をするときの目安」となるようである（舟橋尚哉「「唯識三年、倶舎八年」考」『印度學佛教學研究』四六巻二号、一九九八年）。

つまり、私の身体は非常に限られた空間を占めており、私たちは各々がそこへと閉じ込められている（あるいはそのように見える）からである。しかしもう一つの理由は、私たち自身がそうした経験をもっているからである。子供は大人にくらべ比較的単層的な視野をもっており、かつての自分を思い出すことで、子供の視野を想定することができるのである。

「単層的」であるとは、異なる視野の可能性をもたないということである。これは実のところそれほど現実離れしたものではない。いや、むしろ大変ありふれたものである。というのも、「独りよがり」な見方というのは、何もそれを共有する人数が単数であることだけで言うわけではない。同質性が非常に高い集団の中で育った人のものの見方は、多様な観点があることなど思いもしない態度において、いくぶんか単層的であり、それを私たちは「井の中の蛙」と形容している。この場合、他人の観点もまた自分の観点とほとんど異ならないようなものとして重ねられているため、複数の観点が実際には重ねられていたとしても、やはり単層的である。

そこで、思いっきり「井の中の蛙」であり、「独りよがり」であるような、自分の身の回りのことしか見えていないような、局所的で単層的な、限られた視野を想定してみる。明らかなように、こういった視野に特徴的であるのは、多角的にものを見ることができないこと、異なる可能性というのを想定できないことである。

それでもなお、私たちが身体的存在であり、他のものと不断の接触の中にあるという事実のもとに、それなりに豊かな視野がそこにあるだろう。この一身に立ちかえるといっても、身体はすでに世界の中におかれている。たとえこの身体は私一人のものであったとしても、それはすでに他の多くの物体的なものとの関係の中におかれている。このことを通して、私たちは周囲の事物に対して、それらを自分の意に沿って扱うことができる。言い換えれば、技術的操作性のようなものをすでにもっている。認識される世界の姿の基本的な枠組みを構成しているのはこの事実であり、たとえば因果関係なども身体的な存在たる私たちが実際に物事を引き起こすことができる能力をもとにすることなくして把握できないだろう。〈私〉への立ち返りだけでなく、因果の理解までもが身体に依拠している。可能性や多角的な視野はないにしても、なかなか豊富な視野がすでに開けている。

さて、視野の単層性からある種の複数性や重層性への進展もまた、身体を介して行われる。視野が重層的(この点は詳しくは次章以降で論じる)となるには、先立つ条件として視野の複数性が必要だ。ところで、身体によって区別されるものとして、そして身体によって何らかの仕方で触れられもする私以外の人として、〈他者〉が見定められることが、まずは視野の複数性にとっての基本的な条件となる。身体の違いによってこそ、私たちは自らと同じような複数の人々が、他者がいることを理解する。視野の単層性が私一人の身に括りつけられた〈私〉の狭さによるものであるのと同じくらい、視野の複数性もまた、物体的な世界の中で他との相互作用のうちにおかれている身体への定位によってもたらされるのである。

私たちはこの一身に閉じ込められているが、通常は何らかの仕方で局所的な観点を超えるすべをもっており、実際に超えてもいる。〈私〉とは異なった視野は、実際上は〈他者〉がもつものとして具体化している。身体をもった他者の異なった視野を考慮に入れたとき、はじめて複数の視野というものが出てくる。厚みをもった世界の姿は、身体に定位し、かつ複数の人間が触れ合っているような中でのみ、見えるようになってくるのである。「知的である」ことは、たんに論理的であったり普遍的であったりするだけではなく、視野が局所的ないし単層的ではないことを指すように思われる。視野の広さとは、複数の観点を含むということ、複数の観点から立体的な視野を構築することができるということである。

さて、他者はそれぞれに世界の認識をもっており、それは自分のものとかならずしも同じではない。もちろん大まかには同じである場合も多々あって、そのため私たちは分かり合えるようになっている。多くの人は、まだ確信をもっていない自分の意見と同じ意見をもつ人が現れると、喜びを感じる。そして、自分の意見に自信をもつ。とりわけ、自分が一目置いている人が、あるいは尊敬していたり判断を信頼していたりする人が、同意見であるのならば、意見は確信へと変わるであろう。

このように、自分の見方に確信をもつためには、他人から認められること、いわゆる「承認」が大きな役割を果たす。[54]「承認」は見方についての確信だけにかかわるものではなく、広く自信をも増幅させるものである。「いいね」によって自己評価が保たれるだけでなく、それによってさらに承認欲求を肥大化させるという、ネット社会でますます顕在化してきた人間の性向は、自己形成と深くかかわっている。人から褒められることで、自分は称賛に値する人間だと思うことができる――本当に称賛に値するかどうかは別として。また、とりわけ客観性に関して、つまり本当にあるいは実際に物事がどうであるかについて、信頼できる多くの人が見方を共有するという仕方で確信することができる。

「客観性」は多くの人がそう認めるということ、つまり承認を通してしか、妥当性を得ることができない。しかもこの場合、承認は相互的なものという性質をもっている。なぜなら、どうでもいいと思う人が、つまり自分が認めていない人が自分と同意見でも、おそらく何も変わらないからである。あくまでも、自分が認めている人、信頼をおいている人が同意見ならば、その見方に対する確信は強まるのである。

私たちが外界に対して抱いている見方の多くも、そのようにして確信を得てきたものである。子供から思春期前後にいたるまで、人は「もしかすると、自分が見ている世界は、自分にだけそう見えている世界なのではないか」という思いにとらわれることがあるだろう。これは別に子供に限ったことではないが、たとえば私が見ている赤色は本当に他人にとっても同じ赤色なのかといったクオリアの問題などは、特に子供が自然に抱くものであるだろう。その理由の一

[54] 自己意識が成立するにあたって「承認」という仕組みが不可欠であることは、ヘーゲルがよく明らかにしたことである。『精神現象学』の自己意識の章にその古典的な叙述が見られる。

つとして、子供はまだ承認を勝ち得ていないということが挙げられる。自分と同じように他者もまた見ているという信念が、容易に揺らぎうるのである。それでなくとも、友達の家に遊びに行って、当たり前と思っていた自分の家族の習慣がまったく自分たちだけの局所的なものにすぎなかったと気づくというような経験が、子供には必要である。子供の視野は、未承認の中でまだ急速に拡大中であり、不安定なのである。

他者との文脈や状況の共有もまた、承認の中においてしっかりと確立される。「もしかすると、自分が見ている世界は、自分にだけそう見えている世界なのではないか」という疑念もまた、成長するにつれ忘れられていく。経験を通して、私たちはそんな疑念を無意味と思うようになる。その過程では、私たちはどれほど異なっていようとも、似たものどうしであるというような確信が得られていく。互いの承認を通して、事実の世界というものが確信されるようになる。〈認め合い〉というメカニズムにより私たちは外界に対してする自分の見方に確信を得て、「客観性」を獲得する。

事実と意味変化

ここまでの考察を振り返りつつ、意味が事物とどういう関係を取り結んでいるのかについて改めてまとめてみよう。

私たちの目は事実の世界へと向けられているが、そこへといたるための立脚点は、むしろ意味の領域である。だが、不安定に揺れ動くように思われる意味の世界と、確固として変わらない事実の世界とは、強い対比をなしている。一般名詞や名詞句などは、それに対応した事物や事実の実在を強く想定させるように働く。しかし、それらの中には、論理分析によって消えてなくなるものがある。意味的なもののなかに分析という手段によって消えてしまうものがあるということは、人を不安にさせるに十分である。

消えるものは、事物や事実に対応物をもつわけではないという仕方で、消去される。だが、まったく何者でもなかったというわけではない。幻想には幻想なりの存在がある。分析によって消えるものに対して忖度しなくても良いかもしれないが、実在するかどうか分からないものであっても、なおそれらについて客観的に思考し語ることができるとすれば、それらは何かしらの意味で「ある」と言って良い。意味的にあるこのあり方と、事物や事実としてあることとを区別するということが必要になってくる。こういう仕方で、存立する意味の領域と、実在する事実の世界とを区別した。

ところで、消えてしまわないものの中には、世界と対応した名前などだけでなく、もちろん述語が示す何かも含まれる。外界に直接に対応物をもつわけではないとしても、述語を満たす個体が存在するとするならば、述語は逆にそうした個体の集まりとして定義することもできるのだから、たんなる幻とは言えない。「歩く」に対応する事物はないにしても、歩いている個体が存在するとするならば、「歩く」はそうした個体の集まりと考えれば良い[55]。それにまた、私たちが普通にそうしているように、述語もさらにまた述定されるものである（「赤は色である」など）。述語もまた述定の対象となる点で、個体の名前と同じような身分をもつのである。こうしたことから、意味的なものたる述語の内容もまた、はっきりと存立するものとして認められうるのである。

述語などを用いて構文的に作り上げられるものもまた、対象的なものとして、意味の領域を形づくる。それは事物や事実へといいたるわけではないが、それでも客観的にあつかわれるものとなる。こうした「対象的なもの」や「事態」と呼ばれるものに対しては、存立という存在性があてがわれる。言い換えれば、それは意味の領域にあるのである。

さらに見えてきたことは、世界と対応した名前の方でも、つまり実在の世界においても、もろもろの個別的な事物だけでなく、出来事や事実と呼ばれる存在者を新たに認める必要があるということだった。行為についての文は、論理分析がそう示したように、出来事に対する述定を行なっていると考えるのが自然であるからだ。ただしこの場合、認めなければならないのは、あくまでも個別的なもの、個体としての出来事である。そして、出来事の概念は、事実の概念へと拡張される。

しかし、出来事や事実といった実在するものへといいたるのもやはり意味の領域を介してである。出来事や事実が、隠れた文脈なしに余すところなく完全に規定されるためには、連言の無限系列が要請される。これを、「事実の概念」と呼んだ。逆に言えば、こういう仕方で、意味の領域は事実の完足的な記述となるのである。意味の領域は事実へとつながっている――たんに私たちに依存したものというだけでなく、また幻想的なものであるというだけでなく、意味の領域は事実の世界へと接しているのである。

以上のように、意味の領域は事実の世界へ向かう立脚地になっているにもかかわらず、それはなお主として私たちの心の側にあるように見える。意味を対象が私たちに与えられる仕方だとするとき、すでに私たち自身に依存した捉え方をしている。いくら確固たる意味があるとしても、それでもなお意味は変わりうるものであり、不安的なもの、私たち自身に依存したものという側面をもつ。言葉は公共のものであり、私たちは言葉を操ることで世界を認識しているが、結局のところ最終的には、私一人の局所的な観点に立脚するしかない。このことがはっきりと出てくるのは、私自身の文脈に、意味が依存しているということを通してである。そして、私たち自身の文脈は、必ずしも明らかとなっているわけではなく、いわば隠されたものであり、

[55] 述語を、それを満たす個体の集まりと考えようなどと言えば、ソクラテスは反対しただろう。プラトンの対話篇に出てくるのは、有徳な人や行為を挙げるのではなく、徳とは何かを答えなければならない、といった論調である。しかし、徳があるとは、どういう人や行為が有徳と言われるかをまったく離れて答えることも、やはりできないだろう。同様に、動詞の意味とは何かという問いに対して、その動詞が述定される個体の集まりをもって答えることは、決しておかしなことではない。

プライベートなものである。

では、私たちの視野が、客観的なもの、誰にとっても妥当するものとなるためには、何が必要か。言うまでもなくそれは、私たち一人ひとりにとっての意味がたがいに共通するものであること、あるいは、共通するものとして認められることである。私たちが事実について確信を深めるのは、むしろ〈認め合い〉といったまったく異なるメカニズムによってである。そしてこの機構は、事実についてだけでなく、およそ視野に入るものすべてについて働きうる。〈認め合い〉というメカニズムは、しかし、そのままの仕方で言葉に反映されるわけではない。それはいわば言葉の背景をなすものである。

こうしたメカニズムや、ここで〈私〉と呼んでいるものを理解するためには、必ずしも言葉だけに目を向けた考察で事足りるわけではない。意味は言葉によって表現され、事実へと触れているが、他方で〈私〉の心へと根差しており、ここで〈私〉と呼んでいるものがどういったものなのか、とりわけ、どのように観点を獲得するのか、を見て行く必要がある。次にこの点に踏み込むことにしたい。

III 意味をもたらす自己

1　行為する自己の意識

〈私〉と〈私〉以外を分けるもの

ここまで言葉に即して意味そしてその変化に目を向けてきたが、意味の領域と緊密にかかわっている〈私〉の心へと、「自己」へと目を向けることで、さらに考察を進めていこう。

〈私〉は限られた身体をもって区切られており、この区切られた中にこそ、外の世界から区別された自分がいるように思われる。こう思うとき行われているのは、外の世界を想定しつつそれと対比される内へと自分を位置づけるということである。この思いなしでは、内と外とを隔てているものは他ならぬ身体であるが、身体をもって内外を、自他を分けていると思いなしているのは何者か。〈私〉の在処を指し示しているのもまた、ほかならぬ〈私〉であるが、しかし、内と外とを分けているのもまた自己であるとは、どういうことだろうか。

自分とはかくかくしかじかである、あるいは、これこれのものは自分であるという気づきがもつ特殊性については、少し後に考察することとして、ひとまず自己とは、そこに自身が居つくところの内面を、外なる非自己へと対立させるものという構造をもっているということを確認しておく。この場合、非自己は自己によって外へと押し出されているのであり、このように非自己を押し出すことが自己にとって本質的である。これは見かけほど「思弁的」な話ではない。生命の基本的な単位としての細胞がまさしくそのようなものとなっている。

細胞は膜によって内と外とを区切っているが、細胞膜とは、それを通してたえず内を外に対して調節する働きをなす器官である。外へと押し出すことと、内へ取り込むことが絶えず行われており、それによって細胞というものが生きている。外へ押し出すことと内へ取り組むことが細胞にとっての「自己」のあり方であり、生きることそのものなのである。

もちろん、私たちの自己は、たんに生きているだけでなくて、外界を認識し行動し、それとともに自身をも認識するような存在者である。ただ、その基本的な働きが、「外へ押し出すことと内へ取り組むこと」による自身の維持であることには変わりがない。壁のような膜あるいは障壁によって、自他の区別を維持するという不断の活動がここに見て取れる。そしてこれは、必ずしも皮膚のみに限られたことではなく、もっと一般に言えることである。一身としての自分は、まずは身体を区切っている皮膚の内部にとどまるとしても、さらに部屋や家を形づくる物理的・意味的な壁によって、外部から守られている。村や住宅地もまたそうであるように、区画によって外部からある程度は守られている。[56] 内部にとどまる自分は、幾重もの膜や壁によって守られている。

しかし、「壁」と言っても厚みをもった確固とした仕切りのイメージで捉えると、自他の区別のかなめとなるものの性質をうまく捉えることができない。この点で、イメージとして相応しいのはむしろ紙障子である。障子の外を外部とするのは、あくまでもそうする態度や活動によってのことにすぎない。不透明であるにしても透けて見えるし、物理的にはほとんど外部からの暴力的侵入をさえぎる防御性能をもたない。にもかかわらず、障子はやはり区切りとしてうまく機能している。

さらに、極端な場合としては、聖なる場所を確保するために「結界」を区切るときのように、物理的な障壁に頼ることなく内外を区切ることもできる。（たとえば、しめ縄も結界を示すものではあるが、防御壁として役立たないだろう。）しかし、その場合でも必要なことは、外と内とを区切るという不断の活動である。自他を区別する「壁」にも、このような性質がある。

内部にとどまる自分にとっては、外部はあたかも他なるもの、自分とは無縁なもののように思われる。しかし、少々面倒くさい話かもしれないが、自分を内部へと割り振る自己は、すでに外部へと出てしまっていないだろうか。自分を内部へと割り振るのだから、すでに内部といい外部とを股にかけるようなあり方を、いわば外に出てしまっているようなあり方をしていると言った方が正確だろう。外に出ている一面と、内にこもる一面との、両面をもっているということになる。

このように、それについて考えている私たちと、考えられているところの〈私〉の姿とは、何やら分離している。私たちはいわば自分がそうであるところの「意識」の外に立って、それを対象的に眺めており、それについて対象的に語っている。このように、自己について知ることは、それを対象的に眺めるような知り方へと自然に行き着くように思われる。しかし、内外を対立させている自己について知るということ自体、原理的な困難を抱えている。

知る私と知られる私との原理的な区別は、なるほど古くから多くの仕方で問題にされてきた。[57]私が私自身について認識するのは、知覚的に立ち現れる私についてであるが、知覚的な立ち現れを通してしか自己に向き合えないというのは、そもそも直接的な自己認識が不可能であるということではないか、という指摘には、もっともらしいところがある。では実際のところ、どうなのだろうか。

[56]都市は、かつては堀や城壁などで囲まれていたところが多い。日本でも、たとえば三方が山で囲われている京都の洛中は、ある時期から「御土居」によって物理的に囲われていた。こうした囲いは歴史上、平和が続くことで取り壊されてきた。国家について言えば、今でも少なくとも国境によってかなりの程度、守られている。

[57]西洋哲学でもっとも有名なのは、「純粋理性の誤謬推理」の題目のもとにカントが展開した、知る私と知られる私との区別をめぐる考察であろう。東アジアで言えば、「観心」をめぐる問いであり、心で心を観るというのは矛盾ではないかという疑問である。

自己への気づきと身体

私たちは自分を対象的に考えることしかできないという考えには、正しいところとそうでないところがある。自己意識とは私が私を知るということだとすれば、知る私と知られる私は同じであることが「前提」とされている、というのはその通りである。そして、この前提に対する保証はどこにもないというのも、言いうることであろう。直接に私自身を知ることをめぐる疑問は、たとえば自分に直接に聞こえる自分の声が、録音して聞こえる自分の声とはまったく異なるように聞こえることからも、誰もが感じるところのものである。

しかし、それでもやがては慣れて、自分の録音や録画に対して何の違和感もなくなってしまう。自分を対象的に知ることを進めていくと、自分で自分を知ることもまた実現されるとも思えてくる。自己認識は徐々にしか得られないのは確かだとしても、知る私を知ることができないというのは、哲学的な物言いとしての面白みを別とすれば、私たちが自己の認識を深めようとするときに何の役にも立たないような、空虚な指摘にすぎない。

その一方で、本当に自己を知ることはできないといった指摘が、切実に感じられるような場面があることもまた確かである。私がやったことが何なのかを、私自身が分かっていないということがある。そういう時には自己知の欠如が深刻に感じられるだろう。子供を叱るとき、あなたのやったことはこういうことだという叱り方をする場合があるだろう。悪気がないのかもしれないが、それだけでは責任を免れないのだと言い聞かせる場合である。もちろん、行為について知ることと自己について知ることは、まったく同じであるとは言えないけれども、私はあくまでもその行為によって知られるのであるとすると、私がやったことが分かっていないというのも、自己知の欠如と見なせるだろう。

また、よく挙げられるのは、「悲劇的」と称されるパターンである。正義の人が、まさに正義によって、そして認識の欠如によって、非常に悪い行為を行ってしまったというものである[58]。この場合、行為がもつ意味を知らずに、あるいは誤認して、行っているということになろう。ただし、子供を叱る場合とはいささか異なり、そのような行為の責任を全面的に行為者に帰するというのは、近代以前の社会の特徴となる。近代的な社会では、故意ではないものとして、行為者の責任が免除される場合がある――人は、自身のことを知っている範囲でのみ、その人としての責任を負うという考え方がなされるのである。

このように、知る私を知ることができないというのは、言える場面と言えない場面とが混在している。自己について知り得ないということが悲劇的として感動をよぶものであったとしている。

[58] 古典的にはソフォクレスの作品としてよく知られた、オイディプス王をめぐる悲劇が持ち出されることが多い。自分こそが父殺しの犯人であり、母と結ばれた張本人であることを知らないままに、オイディプスはその呪われたものを見つけ出そうと誓い、遂には自分自身に気づくのである。自分が何者なのかを知らないというのは仏教経典でもまた繰り返し出てくるパターンであるが、その場合に多く持ち出されるのは前世などでの因縁であり、自らの行いを知らないということが今生を超えた範囲で問われる。

も、だからといって自己について何も知り得ないわけではないという事情もまた無視することができない。こうして堂々巡りとなるのは、ここには重大な論点が一つ見落とされているためである。

見落とされていること、それは、私が私のことを知るときと、私が他のことを知るときとはやはり何かが違うということだ。自分について対象的に知ることしかできないと言いつつも、自己についてはたんなる対象とは異なる種類の知り方がやはり可能である。

改めてこう問うてみよう。私自身について知るということは、たんに、他のことと同じく私について知るということだろうか。確かにそういう場合もあるかもしれない。写真に写っている人を見て、それについて色々と思うところがある、風采があがらない人だなとか、姿勢を良くすれば良いのにとか。しかしその後で急に、そこに映っているのがまさしく自分であると気づくということがある。この場合、自分であると気づくことと、それがどういう人かを認識することのあいだには、大きな落差がある。他なるものとして私について知ることと、「それがまさにほかならぬ私である」として知ることとは、まったく異なる二つの知り方なのである。[59]

鏡や写真に写っている人が、どのような人であるかを知るというのは、対象的な知り方である。私以外のものは、そういう対象的な知り方によって知られる。ところが、私についての知り方には、それとは異なる点がある。対象的な知り方によっていくら内容が得られたとしても、それがまさしくこの自分であるというのは、対象的な知り方とは位相が違っている。なぜなら、この自分——つまり知る方の自分——は、少なくとも一群の対象の中には決して混じっていないからである。

この、「それこそがほかならぬ自分である」という気づきは、先に述べたような、悲劇的と言われるパターンとほぼ同じである。許せない犯罪の下手人が、ほかならぬ自分であると気づいたとき、オイディプスには破滅が訪れる。だからといって、自分自身についての気づきが高尚であるとか、深遠であるというわけではなく、自己への気づきはきわめてありふれたものである。程度の差こそあれ、人だけでなく動物であっても自己がどのようなものかに気づいている。内と外とを対立させるということは、まさしくこうした気づきと結びついている。

自己については、対象的な知り方とは異なる知り方が、自己であるという気づきが、ある。ただし、これはかなり形式的な気づきであり、内容的なものではない。内容的に知っていくためには、対象的な与えられ方がやはり必要であるが、それでも自己についての知には、対象的な与えられ方とは異なる独特の気づきが必要なのである。そのため、内容的には知っていても、

[59] 現代哲学の文脈では、「記憶喪失の人が自分のことだと気づかずに自分の伝記を読む」であるとか、「砂糖をこぼしている買い物客に、そうと教えてあげようして追っていたが、なんとそれが自分自身だったことに気づいた」などの例を用いて、ヘクター＝ネリ・カスタネダやジョン・ペリー、あるいはデイヴィッド・ルイスらが展開した考察（自己について de se の帰属）がある。これはより言語使用に沿った考察だが、ここで述べているのと本質的には同じ内容である。

形式的には自己知になっていないということが（つまり、対象について知っているけれどもそれがまさに自分だとは分からないということが）しばしば起きるのである。

　この気づきは、私が私自身を知ることができないといったこととはいささか別のことである。というのも、知り得なさはむしろ内容的な不足を言っているにすぎないからである。形式的に、つまり、自分のことであると、気づくかどうかは、決定的な一点である。この気づきがあれば、対象についての知は自分についての知へと転換するからだ。

　とはいえ、鏡や写真に写っている人を見て、それは私であると気づくというのが、自己への気づきにとって原初的であるというわけではない。もっと原初的な気づきは、身体をめぐるものである。自分の身体は、自分の身体以外のものとは明らかに異なる仕方で知られている。身体を対象の一つと考えた上で、それが自分の身体と気づくということは、特殊な状況のもとではありうるけれども（たとえば、切り落とされた自分の腕を自分のものだと気づくなど）、それは例外的な場合にすぎない。通常は、私たちは自分の身体を、外から眺めるような仕方で知ることもできつつ、内側から知っている。身体は外側からのみ知られているのではない点で、他の物体や他人の身体とは異なっている。

　外からのみならず、内から感じられている、内から知られているという点が、身体の際立った特徴である。内から知られるという点で、身体は私たち自身の「心」の延長上にある。しかし同時に、外からもその大部分を見ることができるという点で、すでに自分の外に出てしまっている物体である。いうまでもなく、身体は他の物体と並んで、それらをもまた動かすことができるのである。

世界への自己の刻印

さて、身体をもったこの自己は、どのように自己認識を深めていくのであろうか。何かが自分のことであると気づくことは、対象的な気づきとはたとえその仕方において異なっていたとしても、その内容自体は対象的な知り方と同じである。身体はこの点で、この二つの知り方が奇妙に交じり合った、境界のような知り方が起こる場となっている。「この人はかくかくしかじかの人である、そしてそれが私である」という仕方で、自己への気づきは、対象的な知り方と組み合わされており、身体のみが「私であるところの物体」として世界の中に放り出されている。

したがって、対象的な理解を増やすことだけでなく、身体を使って世界の中に参与することによって、自己の認識をより効果的に増やすことができる。事実とか客観的な世界というけれども、私たちはその中で生きており、それを刻々と更新している存在である。世界は頑として動かないものでもあり、大きく変えることなど望むことはできないにしても、私たちは少なくとも身の回りの状況に対してさまざまに働きかけて生きている。それにより、周囲の状況を、あたかも自らの身体の延長のように作り替えている。

身体があるということ、自分がこの身体であるという点に、もっとも原初的な自己の認識がある。動かなくても、この身体としてこの世界に存在しているということが、さらなる行為の基盤となる。身体はたとえ動かすことができなくとも、身体という仕方で存在しているということだけで、もう世界へと物体的な仕方で参入してしまっている[60]。自己はそういう仕方で存在している。その上で、身体を動かすことができるということから、行動が発生する。身体を動かすことによって、自分の身体以外のものも動かしたり変化させたりすることができる。たんに動かせるだけではなく、それによって身体以外のものもまた、道具と呼ばれるものがそうであるように、身体を延長するもの、身体の延長となっていく。

生きているだけでもすでにそうだけれども、さらに私たちは、日々の活動を通して積極的に周囲の状況に働きかけている。その延長として労働ないし仕事もあるだろう。私たちによって作り変えられる事柄には限りがあるにせよ、自身の行動の結果は何らかの仕方で目の前にもたらされる具体性をもつ。ひとまず私が何かの結果をもたらすことが、私が行動するということである。ある行為に対して、私がその行為者であると述定される。つまり、それは私の行為であると言われる[61]。

私の行為であると言えるからには、自然言語による主語述語構造においては、私が何々するという形式となる。私がもたらした事実に対しては、その行為の内容がさまざまな述定の連言として言い表すことができるだろう。事実として見た個々の出来事は豊富な内容を含んでおり、ほとんど無限にいたるような連限によってのみ言い尽くされることは、第二章で見た。ただ、私たちはそのような内容のなかからごく少数のものを選び取って、私たちの行為を認識している。いや、通常はほとんど何も認識しないままに行動している。

さて、行為によって現実の世界は刻々と変わっていく。もちろん、世界を受け止めることも、認識行為の一つであろう。「と」や「あるいは」について述べたように、言葉の意味によって、私たちは世界の中に脈絡をもたらすという作業をしている。これは私たちの側のアクションであり、決して受け止められたままというわけではない。そのため、世界の脈絡を把握するという意味での認識もまた、行動の一つである。しかし、世界に働きかけるという意味での行為には、たんなる認識とは異なる側面がある——つまり、「作り出す」という側面である。

世界の中に私たちが物事を引き起こす力をもっているというまさにこのことが、世界を理解

[60] 言うまでもなく、生きることは、周りと様々な物質のやり取りを不断に行い続けるということである。逆に言えば、周囲をまったく変化させることなく生きようとしても、息をするだけでも二酸化炭素を排出して地球環境の変動を推し進めていることになる。目に付くような動物の殺生を避けてみたところで生物の摂取から離れることはできそうにない。

[61] もちろん、何かの刺激によって手が勝手に上がるといった現象はあるし、私が行為者なのかどうか定かではないといったことはあるが、ここでの考察にはひとまず関係しない。

するために必要な条件となっている。対象的な理解の中で核となっているものとして、因果の理解があるが、これは、私たちが実際に一定のものをもたらすことができるということ、引き起こすことができるということと切り離しえない。「太陽が照っている」ことが「石が熱い」ことの原因であることを実際に納得するためには、「太陽が照っている」ことを使って石を暖めることができなければならないだろう。つまり、太陽の光にあてることで、石を暖めることが、私たちにできなければならないだろう。このように、原因や結果となるということは、私たちが実際に物事を引き起こすことができることを通じて理解される。

具体的な行為は世界を理解するために必要となるが、それだけではない。私の行為を知るということは、私自身について知るということになるからだ。自己を知ることを可能にしているのは、自分が身体をもち、あるいは、自分が身体であることにより、世界の中に参与し、作用を及ぼすことができるからである。行為の前後あるいはその最中には、私自身が何かをもたらしていることを意識するかもしれないし、しないかもしれないが、世界の中には私たち自身の寄与分が残されており、その寄与分には私というものの存在が刻印されている。

自己の刻印といっても、物理的なものだけを指すわけではない。とりわけ言葉による行為はそうであり、ほぼ目立った身体的運動をともなわずに行うことができる。私たちは言葉によって実に多くのことを為している。もちろん、言葉は直接には物を動かすことはできないし、物を動かすためには身体を用いなければならない。世界を具体的に変えるためには、少なくともどこかの段階で、身体の介入が不可欠である。ただ、私たちの周囲には、たんに物体があるだけではなく、他の人間たちがいる。他の人間たちを動かすことができれば、間接的に物を動かすこともできる。そして、他の人間を動かすために、言葉を用いることができる。言葉による行為、つまり言葉によって何かをなす場合があり、それがもたらすものは、人間社会においては他を凌駕するほどに大きい[62]。

言葉によって人に何かをさせる行為として基本的なのは、「やめろ！」といった命令を発することであろう。前章で事実へいたるものと述べたような文は、言葉の使用からすればほんの小さな領域しか占めておらず、言葉はむしろ人を動かすために用いられる。ただし、命令の言葉は必ずしも動詞の命令形に限られないし、命令形が用いられる場合にも字義通りの命令とは限らない。「塩！」のように物を指示しつつ行われる命令もあれば、忖度を強いるような命令もある。「押すなよ、押すなよ」と言うことで押してもらう、という例について述べたように、人に何かを伝えて何かをさせるという力は、複雑な言語使用をともなう場合がある。「ピアノ

[62] 言葉を話したり書いたりすることも記号としての言葉を操作する最小限の身体的運動（口を動かす、情報端末を操作する、等々）があるにせよ、ワープロの技術が手を使って文字を書くことが不自由な人にも文章を書くことを可能にしたことを皮切りに、身体的な負荷はどんどんと軽くなる傾向にある。言語行為については、言語哲学の内容として豊富な議論内容を提供するものではあるが、ここでは必要最小限のことに触れるにとどめる。

よう練習してはって偉いね」が、「うるさいので防音してほしい」という意味になるといった、評価が分かれる言い回しもある。

人を動かす言葉は、こうした直接的あるいは間接的な命令だけではない。約束することによって人の行動を制約することもできる。約束を守らせるというのは、約束を破るなというある種の命令と見ることができよう。さらには、人を喜ばせることも、傷つけることもできる。人の感情を動かすことで、多くのことを為すことができる。こうして私たちは言葉を通して世界へと自己を反映させていく。

自己表現としての行為

行動によって外界に働きかける場合、私たち自身の寄与が世界に具体的な姿をとって現れることになる。それは身体的な行為である場合もあれば、言語上であったり情報上であったりする場合もある。言語を用いることもすでに行為であるのだから、口先一つで世界が大きく変わることだってある。情報機器によるコミュニケーションの量的増大を特徴とする現代社会ではとりわけ、言葉による表現行為によって実に多くのことが為されている。私たちは言葉を発したり身体を動かしたりすることで絶えず何事かを為しているし、それによって何かを作り出している。つまり、世界の中には私たちの手になる「製作物」が多くある。

製作物といっても料理や生活道具、文化や社会制度、文章や写真など様々なものが考えられる。これらの多くには実用性があり、人間以外の動物もまたそうした製作にかかわっている。製作がすぐれて人間的と考えられることが多いのは、言語を介した製作が高度に発達したことによるところが大きい。

しかし、より制作者の刻印を強くもつのは、「作品」という言葉で呼ばれる。ここでは何が作品なのかと問う必要や、芸術と呼ばれるものだけを特権的に扱う必要はないのだが、作成者のものということが如実に表れる製作物を指してひとまず作品という語を用いよう。自分の手で何かそれまでになかった作品を世界にもたらす場合のことを考えている。どのような作品であれ、それまで存在しなかった新たな現実である。しかもこの現実は、私の手になる現実、いわば私自身が生み出したものである。私によって作り出されたもの、いわば私の一部と見なしても良いような現実である。

作品が評価されたならば、私自身が評価されたと感じるであろう――実際は自分ではなくその作品が評価されたのであっても。これは、作品をもたらすことによって、私はいわば私の一部を現実のものとして私から切り離したように感じるからだ。作品は、あたかも目の前に出現した私の一部であるかのような身分をもっている。

私は、私の作り出したものを通して、私自身を世界の中における対象として見ることができる。そもそも、社会の中では、人はその行為を通してのみその人となっているにすぎない。そして、自己認識とは、客観的に自分とはどういう存在なのかについての認識なのであるから、それは自分の行為を通した認識とならざるをえない。当人が心の底で何をどう思っていようが、人は社会の中ではその行為によって認識され、評価され、承認される。そして、行為が客観的な形態をとるにいたったものが作品である。

もちろん自己認識には、自己にしか分からない内面に対する、自己自身による受け止めという側面もある。私自身の心の内部は、表出されることなくどうして私以外の人に知られようか。自己が何をどう思っているかというのは、多くの場合、他人には分からない。いやそれどころか、自分にさえ分からないことが多い。自分自身にも、他人にも分からないのが、自分というものなのかもしれない。

しかし、私たちが何かをしようと行動に移る場合、さしあたっては私の内面にしかない意図が、行動を通して、外部に公となる。私の意図は、行動を通して、私自身にとっても対象化される。行動を通して外部に公にするといっても、実際に何をするかは意図の通りにはいかないことが多い。私たちの身体は、決して思い通りに動いてくれるわけではないし、意図する作用をある程度しか引き起こしてはくれない[63]。外面に出るものは、内面にあるものとは決して同じではなく、そこにはある種のズレがある。それでもなお、外面に出たものこそが他者にとっての私の姿であるし、私自身にとってもそうである。

私は「やりましょう」と言おうと思っていたが、とっさに「やめましょう」と言ってしまった。言い間違いに気づき急いで言い直そうとするが、他人はどう受け取るだろうか。それは私の「意図」とは違っていたとはいえ、実はそう思っていたのではないか……もちろん、たんに別の発言に引きずられた言い間違えの場合もあるけれども、言い間違いを通して私自身が、自分が何をしたかったのかに、つまり本当はやめるのが良いと思っていたことに気づく場合もある。

私自身の行為を通して、私自身が表現され、私自身がどういう人間なのかが対象化される。世界の中には、私自身の足跡が残され、わたしのものという刻印がおされたものが増えていく。世界の中に自己を刻印するときに生じるのが「責任」である。自己の刻印と同時に責任を負うことになるし、自分の役割というものが生じる（これについてはまた後に考察する）。このように、行為することによって、いわば自己を対象化することによって、自己認識は進んでいく。逆に言うと、行為することなしには、私たちは自分とは何者かということを知ることはほとんどで

[63] 行為するとき、それをもたらす動作主に対して、「意図」や「意志」が想定される。意図をもたないような行為は、行為というよりたんなる運動ということになろう。行為という概念は、少なくとも意図という概念と強く結びついている。また、自己の意志というものを想定せずに、行為の主体については考えにくいかもしれない。だが、自身の意図や意志といっても決して統一的なものではなく、あれもしたい、これもしたい、というように意欲が衝突する中で、自己決定が問題になるとき、はじめて「意志」の概念が本当に必要になってくる。この点は、次章で扱う。

きないのである。

繰り返せば、自己とはかくかくしかじかである、あるいは、それこそが自己である、というのは、「気づき」としては、対象的な認識とは異なるものである。だが、そのような直接的な気づきだけでは、自己を認識することは不可能である——私は私自身を内的に見通すことができないのであり、認識には時間が要るのだ。鏡に映った自分を見るにしても、鏡に自分を映すという行為が必要である。そして、世界は自分にとって大いなる鏡なのである。世界の中に自分の手になるものを作り出す営みを通してのみ、私たちは自分が何者であるかを知ることができるのである。

2 視野を拡げること

局所的な視野の単層性

さて、〈私〉はまずもって身体という区切りによって局所的に存在していることに、ふたたび立ち戻ろう。自己は世界を眺め渡すことができるけれども、まずは自らの身体に立脚することでこの世界の中にある存在である。世界のただ中にあるこの身体に定位することで、私たちは身体の周りに自分固有の視野を形成している。この局所的な視野は、私たちが身体によって周囲の世界へと自己を刻印することによって形成される。身体の周囲というかなり限られた世界から、視野はさらに広がっていき、広大な世界をそこに収めることもできるが、まずもって私一人が身の回りをどう見るかということを基礎にしていることには変わりがない。

実際上は、人は必ず他人の観点や視野を自らの観点や視野に重ねているため、すでに私一人の局所性にとどまらない側面をもっているし、人の身になって考えるなどの複雑なことができるわけだが、このように様々な観点が重ね合わされた状態を最初から考えるのは難しい。その基本的な働きや仕組みを見るためには、どうしてもこの立脚点に、つまりこの〈私〉に立ち返らざるをえない。この局所的なものへと戻ってそこからより複雑な視野へと重層化の過程を辿って確かめてみることにしたい。

ひとまず私一人の視野が、他の人の視野との重ね合わせがない単純なものであるとしよう。前章の終わりの方で、これを「単層的な視野」と呼ぶことにした。単層的な視野とは、他の見方があるという可能性をもたないような画一的な視野である。これが、異なる視野が折り重なるような重層的な視野を後に考えていくための、出発点となる。

視野や観点をまずもって私一人の局所的なものとするのは、あり得ない抽象のようにも思われるが、必ずしも現実から遠く遊離したものとは言えないことも、すでに述べた通りである。単層的という特徴は、私一人の視野だけに限らないし、「井の中の蛙」は何も個人に対してだけ言われるわけではない。緊密な集団の中では、各人の視野の違いはあまり問題とならず、むしろ共通性の方が大きい。他人による見方もまた自分の見方と同じものとして重ねられているのならば、たとえ複数人の視野があったとしても、視野は単層性を示す。もちろん視野は個人の身体に応じて異なるけれども、少し巨視的に見るならば、多くの人に共有されるものでもある。

実は単層的な視野は、私一人の局所的なものに限られないだけでなく、きわめて高度に発達した理想的なものとも言える。「井の中の蛙」的な「視野の狭さ」は通常は否定的に見られるだけであるが、それはあまりにも一面的な捉え方であって、他の可能性を許さないような画一的な見方が積極的に評価される場面もあるからだ。

普遍性の高さが求められる場合、真理と向き合っている場合では、むしろ単層的な世界観こそが理想的と考えられるだろう。[64] また、論理性が求められる場面では、非論理的なものを許容する余地はないということから、異なった見方はやはり排除される。ときに「宇宙人でさえ述語論理から逸脱できない」などと主張されたりもする。自然言語ではまったく通じ合わなかったとしても、宇宙人も知性的である限りは形式言語たる述語論理を解するというわけだ。これは、論理的な世界観が、視野の単層性の格好の例ともなっていることを示している。

このように、単層的な視野は（原初的として）非難される場合と、（普遍的として）称賛される場合があるわけだ。通常は「普遍性」をめぐる問題として扱われることが多いこの相反する評価を、どう考えるのかは案外と難しい。だが、区別できないわけではない。「誰が見てもそうだ」というのにも、他の可能性を知らずにいう場合と、他の可能性を知った上で否定していう場合とを分けることができるからである。他の可能性を知った上で、それを否定して唯一の見解にいたる場合、そこでは高度なことが行われている。それに対して、いま目を向けている

[64] 真理という概念はいろいろと評判が悪い場合があるが、真理を無視してすべて相対的に考えることの弊害の方が大きいこともまた事実である。ただし、ここでは相対主義の問題を論じる場ではない。

のは、もっと原初的なところであるから、他の可能性をたんに知らない場合に限って単層性を考えているのである。

さて、〈私〉一人の視野は、なるほど出発点としては単層的であるにしても、私たちが身体的存在であり、他のものと不断の接触の中にあるという事実のもとに成立している。もしかすると身体以前のものとして想定されるかもしれない論理のようなものも、実際上は他者との触れ合いを通してはじめて出てくるものである。[65] 身体は私一人のものではあるが、すでに他のものとの関係の中にあり、このことを通して私たちは自分以外のものを動かし操作することができる。言うなれば、技術的操作性をもつ。すでに述べたように、認識される世界の相貌の基本的な枠組みを構成しているのはこの事実であり、たとえば因果関係なども身体的な存在たる私たちが実際に物事を引き起こすことができる能力をもとにすることなくして把握できない。

〈私〉への立ち返りは身体に依拠しているが、視野を支えているのもまた身体であり、さらに言えば、視野の単層性からある種の複数性への進展もまた身体を介して行われる。身体によって区別されるものとして、そして身体によって何らかの仕方で触れられもする私以外の人として、〈他者〉が見定められるからだ。言うまでもないことではあるが、身体の違いによってこそ、私たちは自らと同じような複数の人々が、他者がいることを理解する。視野の単層性が私一人の身に括りつけられた〈私〉の狭さによるものであるのと同じくらい、視野の複数性もまた、物体的な世界の中で他との相互作用のうちにおかれている身体への定位によってもたらされる。

私自身のものではない視野は〈他者〉がもつものとして具現化している。前章で述べたように、私たちが自分の視野が適切なものであると確信をもつのは、他者との「認め合い」を通してのものである。そのとき起こっているのは、自分の視野と、他者の視野とのいわば共振による強化である。もちろん、他者の視野がそっくりそのまま表出されたり公にされたりすることはないのであり、その内容は、特定の物事や事実をめぐるものとして、視野の一部分に関するものとして表出されるのみである。たとえば、ある種の意見として与えられる。それが自分の意見と同じものであるならば、自分の視野は他者の視野との共振によって確実度を増す。〈私〉一人の視野が出発点として単層的であるというのも、実際には他の人との共振を通して確信されたかぎりで単層的となっているにすぎない。[66]自分の視野とは異なる視野があることを、私たちは否応なく知っている。では、局所的な〈私〉一人の視野、出発点において単層的

[65]次章で述べるように、モデル的に捉えるときに身体性を必要としない「様相」のカテゴリーもまた、実際上は他者との接触によってのみ確立されると考えられる。身体をもった他者の異なった視野を考慮に入れたとき、はじめて複数の観点というものが出てくるのであり、豊かな様相性が出現する。論理の複数性にせよ様相の出現にせよ、身体に定位したときに見えてくる厚みをもった世界の相貌と不可分である。

[66]そのため、単層的な視野という捉え方はやはり幾分か単純化をはらんでいる。人はつねに他者との共感の中におり、まったくの個的な単層性というのは、孤絶した無人島で長らく暮らすことで他者とのつながりを失うといった極限的な場合にしか実際にはあり得ない。

である視野は、どのように拡大され、豊かなものとなっていくのだろうか。

局所的な視野の接続による拡大

〈他者〉がもつ視野は、当然ながら私自身の視野とは異なっている。対立するとは言わないまでも、少なくとも私が見ていない領域や、見ていない側面を、見ている。私たちはこの一身に閉じ込められているが、通常は何らかの仕方で局所的な視野を超えるすべをもっており、実際に超えてもいる。視野の広さとは、たんに外延的に広いというだけでなく、複数の観点を含むということ、複数の観点から立体的な視野を構築することができるということである。つまり、他者の観点を〈私〉の内に含んでいるということである。

先述のように、「知的である」ことは、たんに論理的であったり普遍的であったりするだけではなく、視野が局所的ないし単層的ではないということを指すことが多い。どんなに論理的であっても、箱庭的な視野の狭さはむしろ知的な制約を感じさせるだろう。とはいえ、ひとっ飛びに重層的な視野へ考察を移すことはできない。真に重層的な視野について考察する前に、まだまだ多くの段階があるのだ。

まず考えなければならないのは、異なる視野をもって〈私〉の視野を拡大するという段階である。私たちは人から聞いた話を、あたかも自分の経験であるかのように思うことや語ることができる。このようにして、他人がもつ視野を、そのまま自らの視野の内に取り込んでいくことができる。

ただし、他者の視野を取り込むことが可能であるためには、さまざまな条件がある。たとえば、文化が大きく異なる外国の人が見ている世界の姿は恐らく想像を超えるが、同郷の人が見ている世界の姿はかなり似ているはずだ。同じ人間であっても、自分とほとんど共通点がないような人の見ている世界は、おそらく自分の想像の範囲を大きく超えたものであるのに対して、多くの共通部分をもっている場合には、自分が見ているのと似たような仕方で見ているはずだ。私の視野とまったく相容れることのないような視野ならば、たとえ何とか理解することができたとしても、共有することはできないだろう。

あえて図式的に言うならば、異なる視野はおよそ次のような三つの段階を経ることによって〈私〉のなかで結びついていく。第一の段階として、自分と何かしら似ていながらも、自分とは異なる身体をもつ他者が、自分とは似ていながらも少しだけ異なるところもある観点と視野をもつことを、理解してそれを自らに重ね合わせる。これは既に述べたとおりである。

第二の段階として、自身のものとは異なる視野が、自身と同じく世界に向き合っており、異なる視野であるとはいいながらも大まかには同じものを捉えていることについて、理解や共感を深めるという段階である。つまり、それを自分の観点とは異なるとして自らの心の壁の外におくのではなく、それが自分とも深く関係すると思うのである。他者の見方と一致する部分については認め合いとか共振という仕方で確信を得ていくことは、前章で述べたとおりであるが、一致する部分を超えた部分に関しては、自分にはない視野が拡がっている。それをもなお、見聞きした視野として私の理解の内に収めるのである。

　このメカニズムによって第三のステップとして、他者の視野と自身の視野とのあいだにある種の「接続」のようなものがもたらされ、〈私〉の新たな視野となるという段階がある。他者の視野もまた、私の視野の中に取り込まれるのである。伝聞による知識などがこの中に入る。こうして、局所的な視野にとどまっていたものが、徐々に拡大されていき、広域的な、あるいは大域的な視野となっていく。いわゆる「間主観性」がこのように形成されていく。

　広域的ないし大域的な視野は、異なる視野が接続されることによる視野の拡大によってもたらされる。しかしこのような接続は、あくまでも両者に一致する部分があるからのことにすぎない。そのため、このような仕組みを、数学で言うところの関数の定義域の拡大になぞらえて、「一致の原理」と呼ぶこともできよう[67]。

　異なる視野のあいだには、一致する部分も当然のことながらある。一致する部分があることにより、他者の視野もまた自分のそれと接続されうる。実際に、私たちはどんなに単純なものの見方を想像してみるにせよ、やはり複数の区別される視野をともなって考えているのであり、単純に局所的な視野というものはない。よく言われるように、コップの裏側を見ている視点というものがなければ、コップというもののかたちを認識できないのである。

極端に言えば、単層的かつ広域的な視野は、人間どうしのつながりの中では、存在しえない。論理的な世界観であるとか、科学的な世界観となれば、視野の一致がかなり厳密に求められるかもしれないが、だとしてもそれは私たちの視野の一部分でしかなく、それのみで生きている人はどこにもいない。どんなに単純な人間でも、他者には違った世界があることを弁えているからだ。他者との一致は決して自明のことではないし、実際のところは、一致する部分もあればそうでない部分もあるという方が自然である。実際には、大まかな一致が得られさえすれば、他者の視野は自己のそれへと取り込まれうる。

私たちが大人としてたとえば子供の言うことを理解できるのは、子供の観点を併せもっているからである、つまり子供に成り代わることができるからである。私たちは他の人の身になって他の人のことを理解しようとするし、かつての自分自身を理解するのさえ同じ仕方によってそうする。一般に、誰かに成り代わることにより誰かのことを理解できるのであり、逆に言え

[67] 関数の定義域の拡大とは、次のようなことを指す。実変数の関数とは異なり、複素変数の場合は、局所的にしか関数を定義できない。そのため、局所的な収束領域の接続という手続きによって、定義域の拡大を行うのである（ワイエルシュトラスの解析接続）。その際に用いられるのが、各収束領域で定義された関数が互いに一致するという原理である。なお、日本の哲学では、こうした複素関数の性質に田辺元が着目した。「接続」という媒介を経ることが、環境世界をもった主体の構成と類比的であることを彼は指摘した。

ば、成り代わることのまったくできないものがもつ意味世界を理解することは困難である。[68]

完全な一致が想定されるような基礎的な層（客観性）があるとしても、実際上はむしろ、大まかな一致があるものの異なる部分もあるといったことが、私たちがもつ視野に厚みをもたらしている。身体をもった私たちが生きるに際して深刻な齟齬がない限りでの一致が、あらゆる認識の前提となっている。ごく単純な例でいえば、「目の前に机があるかないか」といったごく普通に私たちが一致する事柄である。こういった視野ではほぼ皆が一致しなければならず、「あるかないか」で衝突するようでは視野の接続は不可能になる。こうした点さえクリアされれば、一致の度合いがより緩い部分があっても良いだろう。たとえば、今私たちがいる部屋が「寒いか暑いか」というような事柄に関しては、意見が一致しなくてもあまり問題なく視野の接続は行われうる。

こうして一致の度合いが緩まっていくことへと目を向けるとき、客観性を得る際に用いた「一致」という強い言い方で広域的な視野を考えるだけでなく、異なるものの重ね合わせによる中間的ないし緩衝的な視野を考えなければならない。ある種の重なりによる融通性をもった視野は、一致しないまでも異なりを許容するような、厚みをもった視野である（ここでいう重なりによる補強のあり方は、複数の人で見たというように空間的幅で考えても良いし、異なった時点での私が何度も見たというふうに時間的幅で考えても良い）。私たちは具体的な身体的存在として特定の視野に括り付けられているものの、決して一つの視野のみに固定されているわけではなく、複数の視野の重なりの中で厚みをもった観点をもっている。

厚みをもった視野については、次章でもう少し詳しく見ていくことになるが、今ここで確認しておきたいのは、視野はたんに外延的に拡大されるだけでなく、たとえ部分的にであれ、異なる視野が重ねられる仕方でも拡大される、あるいは厚みを増すということである。自分の身体に定位した視野を基底的とし、その視野を他人の視野と言葉によってつなぎ合わせ拡げた視野をもつ、そしてところどころに異なる視野を許容するような厚みもつ——このようにして〈私〉は成り立っている。

広域性と「心の壁」

広域的な視野は、部分的に厚みをもった視野でもある。こうした視野をもつことによって、私たちの心はある種の安定化を得るだろう。もう、ちょっとやそっと異なる見方に遭遇したくらいでは、あたふたと動揺することもない。視野の広さと厚みが、さまざまな見方を吸収してもぐらつかないような、安定をもたらすのである。

[68] この、何かに成り代わるとか、役割を引き受けるということについては、次章でもう少し詳しく見る。

一方で、広域的な視野といっても、何もかもを視野に収めるようなものではないこともまた事実である。実際に、私たちの視野と相容れないようなものは、できれば排除するのが望ましい。一つの視野の中に許容できないようなものは、視野の外へと追い出さねばならないのである。いくら他者の視野が私たちの視野を拡大してくれるといっても、無尽蔵に広げていくことはコストの見地から言って必要ないし、そもそも危険がともなっている。情報過多と言われる現代において、何でもかんでも知ろうとする姿勢があまり推奨できないのは、情報の波に溺れてしまうことが目に見えているからだ。

視野はたんに広ければいいというものではなく、ある種の制限がなんとしても必要である。いわば「心の壁」を作ることで、はじめて心の揺れ動きは止まり、安定した〈私〉が成立する。

不安や恐怖の中でどのように私たちは心の安定を得るのか、と問うてみよう。そのようなとき、しばしば「祈り」のようなものに頼るのではないだろうか。繰り返し唱えられることで心を整える効果をもつ祈りの言葉――「呪文」や「念仏」など様々に区別されるだろうが――を唱え続けることによって、私たちは恐怖を払いのけようとする。いわば、心の障子のようなものを立てかけるのである。これは大人にとっても子供にとってもあまり変わるところがなく、安定したリズムを繰り返すことにより、心を防御し、安らぎを得るのである。異物を払い除け、安定した秩序のもとに、心の安定性が得られるのである。こうしたものを「心の壁」と呼んでも良いだろう[69]。

しかし、心の壁は何もリズムを必要するというわけではない。こうした機構は、苦手なものを避けようとするときに、もっとも鮮明に見て取れる。具体的に言うならば、私たちの多くは、若いときに得意なものと苦手なものとのあいだで選択を迫られるようになっている。野球が得意だから勉強はあきらめて甲子園出場へ向けて精を出すということがあるだろう。あるいは逆に、勉学に精を出す場合でも、理系と文系のあいだの選択を迫られることが少なくとも普通に見られる。こうして、いわばテリトリーの区切りを心の壁として建てる。そうすることで、他方の領域を気にしなくてもいいようになるのだ。

壁の形成が、まだあらゆる可能性に開かれているように思われる若い人にとっても積極的な意味をもつように思われるのは、それによりテリトリーを、あるいは自分の居場所を何とか確保しなければ、そもそもの足場が得られないからである。こうしたテリトリーの区切りは、広域的な観点に対するある種の制限となり、場合によってはネガティブなものへと転じていくが、その効用もまた見逃されてはならない。自然に出来上がるだけでなく、ときには人為的に作られるものとして、区切りとなる心の壁がいたるところに張りめぐらされ、それによってはじめ

[69] ここで「心の壁」という語を用いたが、一般には、それによって区切られる場所が「コンフォート・ゾーン」といった言い方で呼ばれる。しかし、この名称は必ずしも一貫して用いることのできるものではなく、また、その領域の「区切り」を見失わせる用語である。そのため、以下では「心の壁」という比喩を一貫して用いる。

て、私たち一人ひとりがもつ観点は、安定したものとなるのである。

得意なものを選択し、苦手なものを遠ざけることで、特定の領域をシャットアウトするような区切りが出来上がる。こうした選択は、個々の場合を見るならば多種多様な状況に左右されて生じるが、それらの多くはほんのちょっとしたきっかけにすぎない。

文系・理系などは、たまたまある時期にどの教科が得意か苦手か、好きか嫌いかによって早い時期に決まってしまうことが多く、しばしば社会問題として取り上げられる。少なくとも苦手だとか嫌いだとかは、たまたまめぐりあった教師や教科書・参考書などとの相性で決まる場合がほとんどであり、早い段階での好き嫌いを人の能力的な特性と考えるのはあまりに性急に過ぎる。問題なのは、いったんそういう選択をしたならば、かなり強固なテリトリーの区切りとなって人の一生を決めてしまうことだ。高校生以上になると、ほとんど数学に触れないとか、古文に触れないとかいう生き方が可能になってしまう。そうして、いったん決めた選択が、あたかもその人の一生にわたって続くものになることも多い。ほんのちょっとしたきっかけによって偶然そうなったにすぎないのに、もともとそういう能力だったのだと固定的に考えられてしまうのである。

テリトリーを狭めることで深く追究できるというメリットは大きいし、ある段階でそれが必要ということは言えるにしても、その弊害もまた大きい。人によっては個人的な欲求によって、あるいは必要に迫られて、いったんは狭められたテリトリーを後に拡げる努力をすることがある。つまり、「学び直し」をするのである。人生の幅を拡げるためには、こうした努力が必要なのかもしれない。

話を元に戻そう。「心の壁」という比喩的な語を用いて、自分の視野に何らかの内外の区別をつけること、それによって独立性・自律性を得るということについて考えた。逆に言うと、こうした制限なしには、私たちの広域的な視野は、安定しないのである。すでに述べたように、私たちはまずは自分の身体によって物理的に区切られた存在であり、その上でもっと大きな区切りによって守られている。安心して過ごせる「ねぐら」は何らかの壁で囲われていなければならない――たとえ野営する場合でも、テントやツェルトが、それがなくてもシュラフや毛布あるいは段ボールのように「覆い」の役割を果たすものが、やはり必要である。だが、こうした「覆い」は何も物理的な膜や壁だけではない。それに相当するようなものが、精神的にも必要なのである。視野を守るもの、それを心の壁と呼んだのだった。

視野がすでに広域的なものとなっているとしよう。私たちは何とか自分の「ねぐら」を、棲み処を、そして安定的な意味を与えるものとしての自らの観点を、確保しなければならない。そのために自らの視野に対して、ある種の制限を設けなければならないのである。たとえ広大に広がる視野であっても、視野にもまたある種の制限がある。心の中にもある種の壁が、精神的な壁が作られるのである。しかもこの壁は、物理的な壁とも異なり、外を見させてくれないわけではない。障子のように、外の明かりを透過させるものでもあり、壁にはいわば穴があるのだ。こうして自らのテリトリーを作ることは、それを足場として壁の外へとしばしば出ていくことさえ可能にする。

逆に、何らかの心の中の壁なしには、私たちは心を外からの怒涛のような刺激の流入に対して保つことができない。新たなものの到来ということは何も喜ばしいことではなく、むしろ防がなければならない災厄であるのである。新しさの到来の乏しさや、意味の固着というのは、何も精神の病にだけ見られるものではなく、心の健康のためにも欠かせないものである。生きていくためには壁を張りめぐらせることによりいわば自分のテリトリーのようなものを確保していかねばならない。壁がなくても良いかのように思うのは、あらかじめ何らかの壁により守られているがために、壁のありがたさに気づかないだけなのだ。

私たちの見聞の範囲を超えて世界が拡がっていることを念頭におくかぎり、壁がいたるところにある。こうした「心の壁」がもつ性質は、次のようにまとめられる。第一に、「壁」は自己の安定性のために、あるいはテリトリー確保のために必要な秩序の形成である。第二に、壁は、その内と外との交流に秩序をもたらす。外との交流にはしばしば危険がともなっている。第三に、壁は世界の見え方の条件となっている。内と外との交流のために、心の壁には「穴」が備わっており、そこから外を垣間見たり、しばし出ていったりすることもできる。それによってはじめて広域的な観点は安定的なものとなる。以上が、世界を見る〈私〉というものの、とりあえずの姿である。

3 視野の揺れ動き

自己を揺るがす遭遇

〈私〉は、単層的な視野を押し拡げることで広域的な視野をもつにいたっており、しかも、ところどころに異なる見方をも許すような厚みをもった視野を得ている、としよう。さらに、自分の視野を脅かすものを、「心の壁」によって制限することにより、ひとまずの安定を得ている、としよう。こうした安定を得ているかぎり、私たちにとって世界の意味もまた安定しており、固定化している。言葉を用いる上では、状況や文脈による小さな意味の変化はもちろんあるのだが、述語の意味がガラリと変わってしまうといった、大きな変化は起きないだろう。

それでもなお、私たちは多くのものによって不断に脅かされているかもしれない。自分を自分として区切る「壁」によって安定性を得ていたとしても、物理的に堅固な壁であるならまだしも、たんなる「心の壁」にすぎないとしたら、それは脆いものではないだろうか。多くの場合、脅かすものは他者との遭遇である。他者とのあいだには、認め合うという関係があることを先には述べたが、それだけではないことはもちろんのことである。認め合わないこと、衝突することのほうが、むしろ多くあると言えるだろう。しかし、他人だけが自己を脅かすわけではない。人ではなく作品などが、自己を変える場合ももちろんある。遭遇は、危険なものであると同時に、何らかの福音である可能性もある。こうした遭遇によって、どういうことが起こるのかを見てみよう。

何かの拍子に私たちの安穏が破られることで「壁」が変動する。たとえば、趣味の異なりというのも、一種の「壁」である。音楽で言うならば、ジャンルごとに細分化されており、多種多様な音楽がある中で、音楽全般が何でも好きという人は少ない。趣味が細分化されていくのも、学問や業種の専門が細分化されていくのも、つまるところ様々な生物の生態と似たようなものであり、何とかテリトリーを確保しようとして「棲み分け」が生まれている。

多くのジャンルにおいて、好き嫌いはいわば相反的な仕方で、傾向性を育んでいく。甘党と辛党のような例の方がこの相反的な傾向性を示しやすいかもしれない。あるいは、最近では当てはまらないけれども、かつては大学の第二外国語の選択で、フランス語選択者とドイツ語選択者の気質が、相反する傾向があると言われた時代があった。ファッションや美食など感性的な楽しみを重視するものは前者を、無骨に理知を好むものは後者を選ぶ、というわけである。例外は多々あるにせよ、大まかにはそう言えたのだ。今でも文系が前者を、理系が後者を多く選択する傾向があるようだ。これは趣味の問題ではないけれども、互いに相反する傾向性に対する例にはなる。

相反する傾向性のどれを選び取るかは、個人的な嗜好ももちろんあるが、そもそもはやはり環境によって、周囲の人間とのかかわりが、決定的な要因となるだろう。周りがクラシック音楽好きばかりで囲まれていたら、音楽と言えばクラシック音楽だと思うようになるだろうし、場合によってはポピュラー音楽を無視する傾向が出来上がるかもしれない。ちょうど地形的にも島国だとテリトリーが決まりやすいように、もし周りが画一的であれば、そこに「壁」があることを意識しなくても済むかもしれない。こうした棲み分けは、先に文系・理系について述べたことと基本的には変わりがない。

ところで、周りにもしクラシック好きとロック好きの両方がいる場合には、やっかいな状況が生じる。人間関係にまで選択が影響してくる場合だってあるだろう。クラシック好きとロック好きのあいだに、相反するような関係が成り立つとしよう。あくまでも趣味判断の範囲においてだが、たがいに相手のことが理解できないという状況があるとしよう。そのとき、そのどちらとも等しく仲間となることはきっと難しいだろう。そのため、きっかけは何か些細なことであるかもしれないが、とにかく一方を関心の外におくことで、自分の嗜好を規定する決断が求められもするだろう。

そこで、クラシックはとりあえず遠ざけて、ロック好きとなるといったことが起こる。別に部活動の選択でも友達グループの選択でも何でも良いが、こうしたテリトリーの絞りこみは、たんに党派性が突きつける要求というだけではない。こうした絞り込みを通して、はじめて見聞を拡げるための足掛かりが得られるというメリットがある。何についても言えることだが、手始めにどこかから始めないと、無数にあるジャンルの中に埋もれてしまい、途方にくれてしまうほかはない。いったんロック好き（これとてもっと細分化されたところから始めるしかないものの）になったとしたら、そこから嗜好を拡げていくことが容易になる。たとえば、ソウルやファンクまでは守備範囲とするが、ジャズや民族音楽はまだ避けよう、といった線引きが行われるかもしれない。こうして、趣味が定まっていく。これこそまさに「心の壁」と呼んだものであった。

さて、問題は、ロック音楽にテリトリーを決めたこの人にいかにクラシックを聴かせるかということである。これは無理強いのようにもなり、最初は苦痛に違いない。特に、長いあいだのロック好きならば、よほどのことがないかぎり、その苦痛には耐えられないことだってある。対立は深まるかもしれない。

だが、やむを得ずに聞かされることや、あるいは少しの関心をきっかけにして、急にクラシック音楽に開眼してしまうというようなことだって、往々にしてある。そもそもロック好きという規定も、それほど確たる要因によって決まったわけではなく、周りの影響によって開眼したという側面があったわけだから、クラシック好きに変わるのもまた、きっかけがあれば容易である。このとき、いったいどういうことが起こっているだろうか。

このとき、視野が大きく開かれることは言うまでもない。明らかに、自分で作り上げた心の壁（この場合なら趣味の固定化）が揺らいでおり、場合によっては崩れ去っていく。外的な強制をきっかけとするにせよ、自分から外に出ていくにせよ、新たな経験により心のテリトリーが変化するのである。新しいものとの出会いはいつも幸福なわけではなく、危険を避けるために壁が重要であるわけだが、そこにはよりよき生への可能性もまた潜んでおり、たとえ苦しい出会いであったとしてもそれに耐えることさえできるならば、それまでなかった何らかの新しい意味が到来する――そのとき自己は変化している。

このように、心の壁が動揺し、あるいはそれを故意に開くことで、それまでの固定化した意味とは異なる意味が現れてくる。しかし、ここにはたんに習慣を変じるということのほかに、実際上は少し複雑なことが起きるだろう。ロック好きがクラシック好きに変わるのは、最初に音楽そのものに開眼するときより簡単な場合もあれば、逆に困難である場合もあるかもしれない。[70]だが、細かなことは今は措いて、目を向けたいのは、私たちが何かの出会いによってそ

[70] 後者は次のような理由のためである。ロック好きは、これまで良いロック音楽をそれなりに聞いてきている。クラシック好きへと変わるためには、方向性を変えるだけの大きな衝撃を、クラシック試聴によって得なければならない。よって、最初から「上質のクラシック音楽」に出会わなければならないという制約が、考えられるのである。

れまでの考え方や感じ方などを改めることを迫られるとき、どういうことが起こっているのか、という一点である。

心の壁を張りめぐらしテリトリーを確保することで生きている私たちは、自分にとっていったい何が良いのかをあらかじめ知った上でそうしているわけではない。繰り返しになるが、文系・理系などもまた、たまたまある時期に数学が、あるいは古文が、得意か苦手かなどによって、多くの場合は一生の傾向が決められてしまうのであり、偶然によって決まっているにすぎない。そのため心の壁は、習慣的に身に付いた悪癖のような側面をもっているのである。

それを取り壊したり作り変えたりすることは、たとえ苦しみがともなっているとしても、何か未知の可能性を運んでくる。心の壁の変化という「受苦」は、同時に希望をもたらすものでもある。

人生において重要な局面として考えられるのは、自己の変化を強いるような出会いではないだろうか。そうした出会いを通して、安定し固定化した意味は、激しく揺らぐこととなる。

述語の意味が変わる

ロック好きがクラシック音楽に開眼するとき、起こっていることを非常に単純なレベルで言語化するとすれば、「良い音楽」というものの中身が入れ替わっているということになる。それまでは大した理由もなしにどちらかといえば「くだらない」音楽と見做されていたものが、今は「すばらしい」ものへと変わっている。たんに「良い」を満たすものが増えたということだけではなく、相反する趣味の一方から他方へと移行したという想定で考えているのだから、やはり、それまでとは少し違った良さを見つけたはずだ。[71] だとすれば、音楽について良いというときの「良い」の意味が、もはや変わってしまっている。

述語がこうむる変化については、以前の章でも見てきたが、ここで改めて見てみよう。たとえ初歩的な単語であったとしても、その意味の把握をめぐって困難を生じさせるような述語が多くある。いや、通り一遍の内容なら子供でも分かるのだが、考え出せばきりがなく難しく、あるいは深くなるような述語が、多く知られている。[72]

たとえば、「幸せ」という述語は、誰にとってもとても内容の把握が困難なものである。何も思弁的なことではなくて、きわめて身近な現象である。太郎が「私は幸せだ」と述べたことについて以前にも取り上げた。「幸せだ」という述語には、辞書に書かれているような語義を

[71] 移行後にロック音楽をどう扱っていくかという興味深い問題があり、他の事例を用いた一般的な考察が必要となるが、この点に立ち入ることは避ける。

[72] ソクラテスが問題にしたと言われている、良さとは・美とは・幸福とは何かという問いは、プラトンの対話篇で主題的に問われている。そこで行われているのは概念の定義の問題とされることが多いとはいえ、述語の意味変化をめぐる考察であるとも考えられる。

超えて、さまざまなニュアンスがある。そのために、誤解が生じたり、意味の変化が生じたりすると述べた。

ひとまず行為としての発話がもつ効果については度外視して、太郎が「幸せだ」と述べる場合について言えば、それが悲しみの気持ちとともにしみじみと表明されることだってある。たとえば、幸せは手に入れた、しかしそれによって多くのものを失った、という場合がそうである。あるいは、その反対の場合もある、悲惨のどん底にありながら、なお幸せを感じるといったふうに。太郎は客観的に見て、悲惨のどん底にある。ところが、それでもなお、彼は「幸せだ」と言っており、それは何かの意図があって言っているわけではなく、自己の表出としてそう言っている。もちろん、実際の状況を考えるならば、誰かに聞かせることを意図して、不幸な中でそれでも幸せと思うのが良いといったことを伝える場合もあるだろうが、ここでは何かの意図があるというのを排除して考えよう。

こうした述語の揺らぎは、言葉の上での目立った変化とはなりにくい。一般的にこうした「深い意味」は、何らかの伝達のために言われるというよりは、むしろ自己の表出として、感慨をもって言われるだろう。自己の表出として、言葉は深い意味をもちうる。こうした述語の意味の変化は、言葉の上で捉えることは難しいかもしれないが、それにもかかわらずありふれたものであり、自身での体験を通して私たちがよく知っていることでもあるだろう。意味が揺らぐときにはさまざまなことが起こるが、言語上では、とりわけ述語の意味の変化が顕著に認められる。

述語の意味の変化が起きるとき、心の壁を含めた自己の変動がそれにともなっている。というより、むしろ両者は一セットとなっている。しかし、良いとか幸せとかいう述語はどうしても価値評価にかかわる語彙であって、だからこそその内容が変わるのは、ほとんど価値が変わるということでしかないとも言えるだろう。そこで、もう少し別の方向で考えることにしてみたい——もっとも、この場合は、「心の壁」という考え方がもはや適用しにくいのであるが。

食に多大なこだわりを見せる人がいる。美食家にとって、「食べる」ことはたんに栄養を摂るということではない。長期間の山行のために荷物の軽量化を図るなら、干飯か、あるいは乾パンやラスクで食事をまかなうのはいい考えである。それは立派に「食べる」ためのものとなる。しかし、それは美食家にとって「食べる」と言うに値するだろうか。それは「摂る」であって「食べる」ではないと言われるだろう。「生きるために食べるのではなく食べるために生きるのだ」と美食家が言うとき、長期間の山行を楽しむ人が使う「食べる」という動詞と、まったく意味が異なっているだろう(同様のことは、たとえば「苦労する」「愛する」などの語についても言える)。

さて、若いときからの美食家が、老いてどうなるかを想像してみる。若いときは食が与える快楽は何にも勝るものと考えられたとしても、そもそも量を食べられなくなったならば、食の快楽など何ほどでもないと感じられるかもしれない。このとき、「食べる」という動詞の意味は、夕飯を茶漬けで済ませる人が言うような意味へと変化するだろう。しかしこの場合には、それほど劇的な変化とは言えないだろうし、おそらく茶漬けに相当のこだわりを見せるということだってありうる。だが、さらに一歩進めて、干飯で済ます人のそれに近づくようなことがあれば、そのときには大きな変化がある。

かつての美食家の心境にどのような変化があるかは、言葉にするのが難しいかもしれないが、しかし「食べる」という動詞の意味が、あるいは使用法がと言ってもいいが、変わっていることは確かである。「食べる」という動詞に値しなかったものが、値するようになる。逆に、それまで「食べる」ことと思っていたことが、「食べるために生きる」という文に意味を与えるような内容だったことが、今では捨て去られているだろう。むしろ、「食べる」ことを本当には分かっていなかったのだ、と言い出すかもしれない。

さて、この場合も原因は「心の壁」なのだろうか。美食家は、そうでない人と比べて、心の壁を作っているというのは、少し奇妙な考え方となろう。ある種の食を排除していると言うこともできるが何か変だ。さらに、心の壁とはまったく異なる仕方で、意味の変動が起こるケースを見てみよう。これまで挙げた中からもう一つの例を思い出したい。

写真を見て、そこに映っている男について、風采のあがらない男だ、背筋を伸ばすべきだ、などと思っている。さて、ふとそれが、自分が映っているのだと気づく。このとき、「風采のあがらない男」であるとか、「背筋を伸ばすべき」というのは、急に自分自身についてのことへと変化する。しかしそのとき、自分だと気づく前に写真を見ていたときと同じように、そう思えないだろう。いや、猫背も愛嬌があるとか、刑事コロンボのようで味があるとかいうふうに言い訳するかもしれない。あるいは、先の印象を保持して、自己反省に駆られるかもしれない。少なくとも、以前と同じようには見られないはずだ。このような「気づき」もまた、述語の意味を変化させるだろう。

このように、ある人にとって述語の意味が変わるとき、その人そのものの変化を反映していると考えられる。その人の変化とは、直接的には文脈や状況の変化と言ってもいいのだが、むしろ観点の揺れ動きと言い換えた方が、理解しやすいだろう。そして、多くの場合は、心の壁の変動がともなっているが、その限りではない。こうした自己の揺れ動きにより、いったんは安定したように見えた意味が、ふたたび変動しはじめる——そういうときがある。

揺れ動きつつ生きる

ここまでの考察を少し振り返って要点を確かめておきたい。自己を知ることの難しさをめぐって幾多の思想が繰り広げられてきたとしても、自己を対象的に把握し尽くすことは望めないとしても、私たちが自己理解をある程度もっていることは疑えない。それに、理解の程度を高めていくよう努力して生きていることも確かである。特に次の二点に注意を払って、ここまで考察を進めてきた。

注意すべき第一の点は、私たちは何も静観的にすべてを眺めているだけの、精霊のような存在ではないので、自己が行為する存在であることを抜きにして自己を知ることはできないということを、決して手放さないことである。私たちは行為することで、世界の中に自己を実現していっており、そうすることで自己理解を進めている点に、しっかりと立脚する必要がある。自己はたんに世界を眺めているだけの存在ではない。自己は視野を拡げていき、よりよく対象認識を進めていくと同時に、行為する存在でもある。そして、行為によって自己認識をも進めていく。

行為によって世界そのものを次第に変えていくことができる。最初は身の回りのことだけであるが、それでも世界のあり方を、この手によって変えていくことができる。変えていくだけでなく、この世界に自分の手になるものをもたらし、世界の中へと自己の刻印をもたらす。行動によって現れてくる自分というものがある。世界の中に、自分の手になるもの、自分の息のかかったもの、自分が責任を負うもの、などが増えていく。それらは、いわば自分の分身や自分の延長のようなものであり、そこに自分を対象化することができる。

しかし、自己を対象化するのは、何も自分に対してだけのことではない。行動はまた、自己が何であるかを他者に示すことでもある。行為によって他者による自分の見方というものも形づくられる。そして他者がもつ自分についての認識は、今度は自分へと伝えられる。つまり、人からどうみられているかも行為を通じて自分に分かってくる。こうして自己認識は、行動を通してより進んでいく。行為を通して世界がいくぶんなりとも実質的に変貌していくのと同時に、自己とは何であるかの認識もまた進んでいく。

注意を払うべき第二の点は、自己へ気づくということの独自性である。何かについてそれが自己であると気づくことは、自己を認識することの必須の要件ではあるが、自己を対象的に知ることとは異質の知り方である。自己について対象的に知る内容は、いくらでも外延的に増やしていける知識であるが、そうであるところのものがまさに自己であるというのは、それ自体はむしろ内包的な「気づき」である。

この考察は、自己を知るということに大きく二つのものが分けられるということに基づいているが、ひとまず自己への「気づき」をわきにおいて、〈私〉が周囲を視野に収めるというきわめて基本的なところから、いわば外から眺めるようにして、人のあり方の成立過程を少したどってきた。そこで本章を締めくくるにあたって、この点を振り返ってみよう。

〈私〉はまず、局所的な視野をもったものと想定される。それをここでは「単層的な視野」と呼んできた。そのような自己が、異なる視野と自分のそれとをつなげるという仕方で、接続するという仕方で視野を拡げていき、やがて広域的な観点を手に入れるさまを、その過程をたどることで見てきた。私たちは通常、他人の視野と自分の視野をいわばつなげるような仕方で、自分の視野を拡げるのである。他人の視野とは、他人が見ている世界の報告や表象といったことだが、それなしに私たちは自分の視野を効率よく拡げていくことはできない。

こうして視野を拡げていくなかで、それまで世界の真相と思われたものが、たんにもはや過ぎ去った世界の姿と捉え返されることもあるし、あるいはたんにそう思われていただけの幻影へと落ち込むこともある。いずれにせよ、そこに新たな真相が現れてくる。新たな視野が開けていくことで自らに固有の観点が確立されていく。また、他人の見方は必ずしも自分のそれと完全に一致するわけではないが、ある程度の違いは許容するような、そういった厚みが視野の中に形成されてくる。

とはいえ、たとえ視野が拡がることで安定した観点が確立される場合でも、視野は必ずしもただ開かれたものであり続けるというわけではない。他者の視野は、必ずしも自分のそれと接続しきれるものではないし、うまく接続できないようなものは、排除するしかない。とりわけ、自分の見方をおびやかすような、不都合がものについてはそうである。こうして人はいわば安定した壁のようなものを作り上げ、安住の地を見つける。こうした防御機構を指して「心の壁」と呼んだのである。

こうして、私たちのものの見方が出来上がってくるとしよう。さて、自己はかならずしも安定した壁のなかに安住の地を見出しているだけとはかぎらない。人は何も、互いに認め合って単層的な視野を作り上げているだけの存在ではないだろう。むしろ、認めないということの方が多いかもしれない。人は互いに異なることにより、互いの見方を拒否し、否定する方に傾く。

しかし、逆に自分の見方が拒否され、否定されるならば、自分の安定した視野はやはり揺るがされることになるだろう。他者との遭遇により自己が揺るがされるのには、さまざまな場合があり、上で見た趣味判断にかかわるものはそのほんの簡単な事例にすぎないが、単層的な視野が揺るがされるというのはむしろありふれた経験と言わねばならない。

自己の観点が揺るがされるとき、意味が流動化するさまについても見てきた。こうした意味の流動化こそ、意味の変化が引き起こされる状況として探究してきたものであったが、ここではまだごく限られた理解しか得られていない。なぜならば、まだごく限られた仕方でしか、自己について見てこなかったからである。引き続き、意味の流動化から世界の意味が立ち現れるさまについて、もう少し別の角度から考察を続ける。

Ⅳ　世界の意味が変わるとき

1　厚みのある観点の獲得

重層性を増す経験

ここまで自己について、人生という具体的なあり方からは何歩も下がったところで、きわめて制限された状態を考えてきた。私たちは確かに視野をもちつつ行動しているし、他人の視野と自らのそれを接続させたり、心の壁の外においたりしている。しかし、それと同時に私たちは、さまざまな可能性を考えながら、さまざまな役割を使い分け、各々の役割に相応しい行動をしている。さまざまな視野を比較し使い分け、多面的に考えながら生きている。こうした豊かな諸相こそが、具体的な私たちのあり方を特徴づけている。こうした諸相の中でこそ、印象深く経験される現象として意味の変化が起こるのだ。

以下では、もう少し具体的な私たちのあり方において、どのように意味の変化が経験されるのかについて考えていく。私たちが見ている世界は、豊かな可能性や厳しい必然性といった様相のもとにある。こうした諸相が現れ出てくるために欠かせないのは、単層的つまり他の可能性をもたない一様なものであった視野が、次第に異なる視野と重ね合わされ重層化し、さまざまな可能性を想定しうる「観点」を形成するという過程である。重層的な観点こそが、私たちに世界の諸相を映し出しているのである。

「観点」をもつことによって私たちは、世界がもつさまざまな可能性について、あるいは必然性について語ることができるようになり、つまり世界を様相性のもとで捉えることができるようになることを、まずは明らかにしよう。

これまで見たように、ある程度は異なる視野であっても、共通の部分をもちあわせているならば、互いに接続されて一つの視野を構成しうる。フィクションの登場人物に感情移入できるのも、自分との共通性がある程度はあるからで、そうでなければ登場人物と響きあうことはできない。環境的に近い他人の見ている世界の報告ならば、私が見ている世界とまったく同じではないにしても一致する部分が多く、自分が見る世界との接続を容易に行うことができる。「認め合い」として述べたのも、この他人の視野との共振のことであり、同じ見方をするものは互いに確信を強め合う。

逆に、視野が異なれば異なるほど、共振の度合いがより薄まっていく。では異なる視野がついに、接続されえないほどに異なってくる場合には、どうなるだろうか。異なる事象に向かっている場合でも、あるいは何か同じ事象に向かっていたとしても、互いに相容れない異なる意味づけが行われうるような、齟齬をきたすような世界の見方がしばしば生じる。周囲の事象の意味はときには衝突するような複数性のなかで把握される。

相容れない見方に対して、人はさまざまな態度をとる。まずは相手を無視する、視野の外におくということがある。この機構については「心の壁」という比喩を用いて前章で述べた通りである。また、見方を強要する、つまり相手に「強いる」というようなこともある。いや、そのほうが原初的と言えるかもしれない。泣き喚く幼児は、すでに声の力によって私たちに何かを強いている。これはあくまでも愛情で結ばれているという土台の上での強要である。しかし相手に強いるということは、暴力などの形をとることで、相容れない見方を禁止し、自分の見方に従わせる場合にも見られる。陰に陽に暴力をともなうような強制によって、相手の見方を放棄させて、自分の見方を受け入れさせるのである。[73] これは最終手段であって、力によって相手の視野を否定することは、人間社会においては忌避されるべきであろう。より文化的な場面では、理屈によって自分の見方を受け入れさせる、つまり、説得するという形式をとるだろう。しかし、異なる見方が衝突するときに、原初的な態度として暴力や服従があることは否めないし、今日の文化的な社会においても、ふとしたきっかけで剝き出しの原初性が戻ってくることだってある。

いずれにしても、異なる観点があることは、たとえ一時的にであったとしても人を不安に陥れるに十分であるが、自分とは別の見方をある程度はそのまま許容する、あるいは、各自の自由としてやり過ごすのが、大人のやり方だし、文化的な作法でもあるだろう。

しかし、曖昧な態度のままでは、〈私〉はいつまでたっても成長しないというのもまた言えることである。自分の見方を強制し、あるいは他人の見方を強制されるという衝突を通して、〈私〉は社会の中で生きている。それだけではない。異なる見方を自らのうちで重ね合わせ、調停することもまた、積極的に行なっていくのである。

ふたたび、できるだけ単純な例で考えよう。神戸をオシャレとする見方と、オシャレの自負が強いとする見方が対立しているとき、両者は相容れない。私たちがとる一つの態度は、一方をとり、他方を排除するというものであり、これが「心の壁」ということで述べたことに相当する。ところが、私たちはまた、両者を共に抱き合わせたような観点をとることができる。オシャレという見方もできるし、そうでないという見方もできる、というわけである。しかも、たんに許容するというわけではなくて、両者ともに「分かる」という仕方で。

どのようにして、こうした重層的な見方をすることができるだろうか。一つには、自分自身が、相容れない見方の一方を経験し、そこから他方へと移行したという場合である。もっとも、移行にあたっては、他者の見方による影響であるとか、自らの経験による内発的な変化とか、

[73] 暴力をともなうかどうかを問わず、見方を強制するという場面は頻繁に起こるし、そこでの力学や、相手の出方を見て調整することによるコーディネーション・ゲームなどは、興味深い研究対象ではあるが、制度にかかわるこの点に立ち入ることは避ける。

さまざまな場合があるだろう。だが、今はその点よりも、とにかく時間的に移行を経てきているということの方が重要である。こうした場合、前の考え方の記憶が残っているので、たとえ他方へと移行してしまっていたとしても、両方の見方が身をもって「分かる」ということが起こりうるからだ。

視野の重層化にとって何よりも重要なのは、このように異なった見方のあいだを自ら移っていく経験を積み重ねるということなのである。人は、様々な経験を積むことで、異なった立場から見た世界を経験し、異なった意味づけを経ていく。

重層化した視野を束ねるもの、それを視野と区別して「観点」と呼ぶことにしたい。異なった意味づけを経ていくことなしには、複数の視野の移動・変化そして重なりといったことは起こり得ない。こう考えるならば、意味の変化も視野の重層化も「成長」とほとんど同義に思えてくる。重層的で多面的な意味の世界は、一義的に決まるような客観世界よりもいわば高次のものである。重層性が増せば増すほど具体例を用いて描くことは難しくなるにせよ、決して抽象度を増すというわけではなく、むしろ実際の私たち自身の観点に近づいていく。

実際のところ、多角的で重層的な見方はすぐれて大人のものであろう。というのも、自ら意味変化を経験していかない限りは、異なった見方があることを確信することはほとんどできないからだ。必ずしも年齢だけによるわけではないが、子供や若者が現実を見る際には、今しか見ていないし見ることができない。過去どうであったかとか、今後どうなるのかを想像することは難しい。いまだ固定化されていない不安定さの中で生きているため、未来の可能性へ向けてより開かれている面もあるが、それはあくまでも受動的にそうであるにすぎない。それに対して、自らさまざまな立場を変遷してきた大人は、自らのなかにさまざまに異なる視野をいわば折り重ね、折り込んだ仕方で保持している。この資源を活かすことによって、可能性を能動的に捉えることができる。

一方で、大人には意味の過度の安定性があるため、むしろ可能性は閉じられていると言われるかもしれない。観点の固定化により他の可能性が見えなくなる傾向もあるのだが、それとは別に、大人にのみ許された可能性も、またある。これは、物事の異なった側面や、変わらないかに見えたものの変化を、実際に経験してきた蓄積により得られるのだ。こうした蓄積により、多角的に見ること、つまり、重層的な視野をもつことができるのである。

役割・立場をもつ

重層的な観点は、たんに異なる視野をあわせもつような比較的長いスパンでの経験を通じてのみ、得られるわけではない。そもそも私たちは、人間集団の中で否応なく、さまざまな異なった視野を使い分けるように強いられてもいる。それは、役割や立場によって規定されるような視野である。

自分とはどういう存在かと尋ねるときに、客観的に見た場合、自分はある特定の役割や役目というものを担っているという側面をもって答えることができる。行為によって自分が対象の中で現れ出るということは述べたが、自分の社会的な「意味」として、自分の「役割」がある。社会的な意味とは、自分の社会的な位置づけ、自分が「何々である」と述定されるその述定の中身である。

自分は役割をもっている。少なくとも、人間集団の中において何らかの役割をもっている。とりわけ行動にあたっては、私たちは特定の役割を担いながら物事に向かうことが多い。役割に相応しい行動を私たちは取るのである。役割は社会の中で果たすべき目的と結びついており、その目的にそった行動を私たちは為すのである。[74]

私たちが担う役割は、もちろん一つに限られない。ときに「一つの役割だけをもって生まれてきた」という言い方がなされることがあるが、これは文学的な表現でしかない。私たちは通常、社会のなかでの役割、仕事上での役割、家庭のなかでの役割、等々のように、異なる局面において、複数の異なる役割をもっている。それだけでなく、私たちは通常、これらの異なる複数の役割を使い分けているのである。

行動にあたっては、私たちは特定の役割や立場のもとに行動する。仕事する人として机の上のパソコンに向かう。家庭の人という役割のもとに郵便物を受け取る。食事する人という役割のもとに食塩に手を伸ばす。手伝いのように他の人の役割を引き受けて何かをすることもある。

何の役割をも担わない仕方で行動するということもありえないことではないが、およそ考えにくいことである。

「役割」や「立場」という言葉を用いたが、これは人間集団のなかで自分に与えられたものとして、ときに否応なしに、ときには積極的に、担うものである。しかも、他の人の役割を引き受けることができるように、役割は固定的なものばかりではない。社会的に与えられた固定的な役割というものもあるが、任意に自由に変わることのできるような役割、あるいはむしろ「役目」というものがある。

役目というものは、大変に可変的である。ひょっとすると、役目というこの語がつねに有効であるわけではないかもしれない。たとえば、子供の立場になって考えるということがある。これは、子供という位置づけのものに成り代わって、その立場あるいは役割において考えるということだろう。この場合には役目という語は用いられないが、しかし役割・役目・立場などは事柄としては類似のものであって、ことさらに区別を立てねばならないものではないだろう。

自分とはどういう存在かと尋ねるときに、役割や役目がクローズアップされるのだが、これ

[74] 役割を、客観の二肢に対する主観の側の二肢の一つとして四肢的構造のなかに位置づけ、考察を進めた論者として廣松渉を挙げることができる。その集中的な考察は、『役割存在論（廣松渉著作集5）』（岩波書店、一九九六年）に見られる。

らは客観的な自己の姿に関することであるとひとまずは言えよう。役割もまた、対象的に把握されるものであり、それは具体的には、社会のなかでの〈私〉の立ち位置ということになる。もちろん、自分だけが自分に課している、あるいは、自分だけがそう自負している役割というのもあるし、それは決して無視してもいいようなものでもないが、少なくとも自己に対して客観的・対象的な態度をとることなしには、自らの役割は見えてこない。

役割は、行為を導くだけではない。私たちは特定の役割のもとに世界を見てもいる。行動にともない、あるいはそれに先立ち、役割によって特定の種類の観点が与えられている。そのため、当然のことながら、自らが引き受ける役割が異なることによって、言葉の意味や世界の意味が変わる場合がある。

同じ一つの文や言葉の意味が、自らが引き受ける立場によって変わることは、頻繁にある。陸上選手として「走る」というのは、仕事や人生をかけて本気で体を動かすことであろうが、友人との待ち合わせ場所に「走る」と言う場合には、少し急ぐという以上の意味はない。

役割に応じて、同じものや事実の受け止められる側面が変わってくる。強力なリーダーシップと論理的思考で問題をテキパキと解決することは、仕事をする上では大いに有用であろう。仕事上の役割として、こうした姿勢をもつことが求められもする。しかし、家庭の人としてはそうではない。家庭の会話に、リーダーシップとテキパキとした問題解決をもち込むのは余計なことであるし、逆にかなり「してほしくないこと」である場合が多い。このように、同じことが反対の意味をもつのである（言うまでもなく、家庭でもある種のリーダーシップが求められることもあるし、仕事によっては別のやり方が必要な場合もあるが、それはまた別の話だ）。

そのため、同じ一人のなかで異なる役割が衝突する場合がある。私たちは仕事の人であると同時に家庭の人であったりもするのだから、どの役割ではどうすれば良いかを理解して使い分けなければならない。自分の行動が真逆の意味をもつことがありうるために、異なる役割をどのように担い分ければ良いかの反省を迫られるのである。人が行動に迷うとき、あるいは行為をめぐって反省を迫られるとき、多くは自己自身のうちでこうした衝突がある。

こうして私たちは、ある特定の役割のもとで世界を理解し行動するようになる。役割そのものは対象的・客観的なものであり、それについて私たちはあたかも「もの」のように語ることができるが、そのもとで世界を見たり行動に移ったりするという点で、主体のあり方を規定するという重要な側面をもつ。つまり、たんに物理的なものというわけではなく、あくまでも社会的あるいは制度的に存在するものであり、社会のなかでの自己の客観的なあり方を示している。と同時に、主体がとりうるある種の存在者のタイプとして、あくまでも主体がそれを引き受けることによって存在している。しかも、そのような役割をいくつももつことによって、自らの中に重層性を形成していくのである。

重層性の実際の獲得が、自身のうちでの役割の齟齬から出発するか、それともそうではないかという複雑な問題をここで問う必要はない。重要なのは、自身の内で相異なる役割が、互いに相容れない立場が、ある一つの観点のもとにすでに束ねられているということである。自身が担う役割のちょっとした齟齬ならば、それは自身の内で、つまり観点のもとに、すでに重ね合わされている。それに対して、齟齬するまでに異なるような視野は、ひょっとすると束ねることさえできないものかもしれない。

自己は、行為によって自己の刻印がおされた事物や事実を作り出し、それによって自己を対象化するだけでなく、何らか特定の役割をとることによって世界の中に存在している。私がとりうるある種の存在者のタイプというものが客観的に定められうるのであり、むしろ私はそうした役割を積極的に担っていく。どの役割をとるかという選択においては意図や意志が見出される。

このことへ目を向ける前に、言語の問題と関係してこれまでも触れてきた様相性について片づけておこう。つまり、「何々である／ない」という単純な陳述とは異なり、「ありうる」とか「なければならない」といった述べ方や捉え方についてである。

様相性を獲得する

多角的な視野をもつこと、言い換えれば、重層的な観点をもつことは、異なる世界の見方を通覧する、あるいは少なくとも渡り歩くことができるということであろう。一つの視野においては、一つの世界が見えるにすぎない。たとえ厚みのある視野といっても、少しの異なりを許容するものでしかない。それに対して、異なる多くの視野を見渡すような重層的な観点においては、世界の姿がたくさんの角度から見えるということになるだろう。

　これは、差し当たっては、世界がもつ可能性を多面的に見ることができるということである。だがそれだけではなく、目の前の現実を超えた世界について考えてみたり、いまだにない現実へ向けての理想を抱いてみたりということにもつながる。さまざまな視野が表しているのは互いに少しずつ異なっている世界のあり方である。互いに異なる視野をいわば股にかけるような観点をもつということは、現実に対する様々な見方ができるだけでなく、現実を超えた可能性についても考えることができるようになることでもある。

　重層的で厚みのある世界の経験においてはじめて豊かな様相性（モダリティ）が出現する。可能であるとか必然であるなどの様相性について、単一的な視界や視野だけを用いて理解することは難しく、様相論理学での標準的な考え方では、複数の世界（可能世界）を想定することで、そのうちの一つを現実とし、一つ以上の世界で成り立っているならば可能であると、また、すべての世界で成り立っているならば必然であると規定する。いわば、異なる世界を股にかけた量化として、様相を捉えるのである。[75]

　これはたんにモデル論的な技巧というだけではなく、様相性を用いるときの、私たちの実感ともつながっている。可能的というのは、さまざまな場合が考えられる中で少しでも成立する道筋が、つまり、それが成り立っているであろう世界の姿が、あるということだ。また、必然的というのは、あらゆる可能的な場合を考えても、どうしてもそうなるということである。このようにして、すべての世界に共通なるものとしての必然性と、一つ以上の世界に成り立つものとしての可能性といった様相のカテゴリーは、すでに世界＝視野の複数性という枠組みと深く結びついている。

複数の世界の姿、現実の世界とは異なる世界を想定することなしには、可能性や必然性といった様相を得ることはできない。実は、複数の世界を想定するのは、論理に時制を導入する場合でも同様である。現在の世界とは異なる世界を想定するのである。こうして、時間性と様相性は深くつながっているのである。

前章から、様相性をひとまず度外視して考えを進めてきたのは、単層的な視野においては、そもそも様相というものがうまく扱われないからである。単層的な視野においては、いくら視野を拡げたとしても、必然性以外のいかなる様相も出てこない。単一の世界だけを想定していては、可能とか必然だとかという区別が、出てこないのである。というよりむしろ、可能性というものが現れてこずに、すべてが必然性の中に没入してしまうのである。[76]

必然性に支配されたものの見方は、もちろん知識の中の重要な部分を占めている。客観的な世界とか真理の世界とか呼ばれるものは、必然性によって支配されており、様相性を欠いている――そこに何らかの時制はあるにしても様相性はない。真理の世界には、真理と異なる可能性というものは見出されない。そのため、単層的な視野しかもたないならば、自由がない人と同じように、多くの事柄が必然性に支配されているような状態となる。自由が奪われた人にとっては、必然性しか残されていないが、同様に、あらゆる事柄が客観的な真理によって貫かれているとするときもまた、ある一つの視野に従うしか、つまり必然性に従うほかはなくなってしまい、可能性などなくなってしまう。

可能性がないのは、他者がいないということでもある。なぜなら、他者とは自分とは異なる視野をもつものであり、もし異なる視野がないならば、世界の異なる可能性は失われてしまうからだ。重層的な観点は、他者を必要とするのである。そして、様相性もまた同様である。観点にもとづき視野のあいだを渡り歩くことができるということが、様相性をもたらすのである。私たちのものの見方は、豊かな様相性によって彩られている。私たちは常に、こうであった

[75] この考え方は、可能世界意味論と呼ばれる様相を扱うための標準的な考え方と同じだが、後者は複数の世界のあいだの移行関係を考慮に入れることで成り立っている。移行関係が織り成す構造によって、ここに述べたよりはるかに複雑な説明を要する。

[76] 局所的な視野がどのように異なる視野との接続において様相性を獲得するかについてには、主に現象学に依拠したドゥルーズの考察がある（『意味の論理学』上、前掲）。ただし、彼は互いに齟齬して発散する観点を、あるいは（収束性に対する）発散性そのものを、不必要にまで称揚する傾向がある。この点が彼の議論を曖昧なものにしている。

らどうかとか、そうであったらどうしようとか、可能性についてばかり考えている。それは選択の可能性であることもあれば、反実仮想としての可能性であることもあるが、可能性について考えることなしに私たちは人間らしい心をもち、人間らしい振る舞いをすることは、できない。人間らしいとは可能性に彩られているということであり、それこそが自由であるということの基盤となっている。

現実とは異なる可能性を想定することができることが、厚みのある観点の特徴である。それによってさまざまなことが可能となる。ある特定の視野が唯一のものではないことの理解は、異なる視野を知ることによってもたらされる。もちろん、すでに見たように、視野は時間によって変わっていき、観点は重層性を増していく。視野の時間的な変化は不可逆的なものであるとはいえ、異なる視野のあいだを渡り歩くことができるならば、時間を通して厚みを手に入れることもできる。こうして、私たちの具体的な自己は、重層的で豊かな観点によって彩られていく。

2　自己へ問いを向ける自己

理想と生きる意味

これまでの考察から示唆されたように、観点がもつ重層性は〈私〉の自由や幸福への鍵ともなる。意味の変化を経験してきた〈私〉は、さまざまな観点を渡り歩くことができる存在であり、それによってさまざまな可能性を見ることができるようになっている。あの人ならこう見るかもしれない、誰のかは分からないがこのような見方があるかもしれない、あるいはこういうことが起こることがあるかもしれない……と複数の観点から、物事をいわば複眼的に眺めることで、私たちは目の前に広がっている視野とは異なる世界の様相を見ている。そうすることで〈私〉は何が望みうることなのか、そして何を望むべきかを知ることになる。

可能性という次元を得ることで、私たちは目の前の現実から少しばかり解き放たれる。大人としての〈私〉は、決して一つにうまく構成されないような多数の観点からなる複雑な意味の世界に生きている。単一の事象もまた複数の可能的な意味世界へと開かれている。必然性に支配されたように見える単層的な世界観とは異なり、重層的な厚みをもった観点において、私たちは世界の無限なる可能性を垣間見ることができるし、それによってどこへ向かうべきか促される。今の自分とは異なる自分を希求したり、今の社会とは異なる社会を希求したりすることができるようになる。つまり、夢をもち、憧れをもつ。

行為を導くような意味的なもの、それは理想と呼ばれてきた。理想は現実と異なるもの、現実から解き放たれたものであり、そこへ向かって行動を促されるものである。実現されるべき理想は、大きなものであれ小さなことであれ、かすかにしか見えていないかもしれないし、将来の姿がまったく見えなくて途方に暮れることもあるかもしれない。それでもなお、私たちは未来について何かを直観しているし、向かうべき先という目標は、私たちの生に意味を与えてくれる。

もちろん、夢や憧れを称揚することはあまりにナイーブな態度であるとも言われてきた。理想など「無意味」だという言い方もできる。「意味がない」というのは比喩的な言い方であり、正確に言うならば、無力であるということだろう。夢や理想はしばしば人をして、現実から目を背けさせる。何も行為へと向かうことなく、夢想に耽るという場合には、明らかに現実から目を背ける逃避的な態度ということになる。そうであるならば、現実へと引き戻すことが重要である場面もあるだろう。

「無意味」であると言われるもう一つの理由は、理想が他者のなかにすでに具現化されているとして、努力を無化することがよく生じるからだ。他者のなかに、自分とは異なった、高い価値の実現を見出すとき、理想は自己のもとを離れてしまい、たんに崇めるだけになってしまう。特定の人物に理想的なものの実現を見てアイドル視することは、自分のためになる限りでは構わないとはいえ、自己とは無縁のところでの夢の具現化でしかない。自己から理想の実現へ向かう必要性を奪い取ってしまい、追従や尊崇しか生み出さないかもしれない。そのとき人は、理想によって力を奪われてしまう。

ただし、理想の具現化を見出すことは、必ずしも人を無力化するばかりではない。古来よりしばしば、理想は過去に具現化されていたものとして見出されてきた。真に新しいものを目指すとき、私たちはそれを身近に見出すことができず、手の届くところに偶像を見出すこともできないため、むしろ過去へと、場合によっては遠い過去へと目を向ける。孔子は、理想として憧れていた過去の偉大な政治家の姿をもはや夢に見ることがなくなったことに気づいて、自らの老いを嘆いた――「子曰く、甚だしいかな、吾が衰えたることや。久しいかな、吾復た夢に周公を見ず」と。[77]

気恥ずかしくとも改めてこう言おう、夢や理想は現実を導く力をもっている、と。そもそも、

[77]『論語』述而第七。なお、儒学は東アジアにおける代表的な理想主義的思想である。

現実と異なる世界を思い描くことなしには、どうして現実を変えることができるだろうか。どうしてより良い生へと向かっていくことができるだろうか。現実と異なる世界を思い描くこと、それによって私たちの行為に意味を与え、私たちの生を意味で充実させること、これは私たちがもつ立派な能力である。

現実とは異なる積極的な力が理想にはあり、それは現実に新たな意味を与えるということである。今現在のなかにどっぷりとつかっているかぎり、既存の現実に寄り添っているかぎり、そのかぎりでは何らの可能性をも出てこない。夢や理想をもつことがないのならば、いったい何がわれわれをこの現実から抜け出させてくれるのか。私たちは夢や理想があるからこそそこへ向かって努力するし、世界を変えていくことができる。理想はたんに現実離れしているのではなく、現実の中で現実を導くという重大な働きをなしている。それは可能的でありつつ私たちを動かす。将来に実現されるべきものとして、いまだどこにもないものでありながら、人々をそこへ導く。こうした現実の作用を発揮しながら、現実に意味を与えている。

いわゆる目的論的な世界観や、理想主義などを、ここで持ち出すまでもないかもしれないが、目的論的にしか、つまり何かの目的に向かうものとしてしか、うまく意味が与えられないものがある。代表的なのは有機的な自然、つまり「生命」をめぐる自然である。[78] そして「理想」もまた目的の一種である。もし「理想主義」と呼ばれるものが何かしら有益なものであるとすれば、理想というものを、そこへ私たちを引き寄せる力をもち、目的となることでそこへ向かう力を引き出す何かとして、正当に評価している点においてである。どこにもないにもかかわらず、実際に私たちを動かすようなものとして、理想は私たちの動力である。私たちを導くことを通して、理想は私たちの生に意味を与える。

しかし、理想は必ずしも憧れの対象という形をとらない。ときに目に見える形をとらずに、理想は「問い」という形式をとることがある。問いは答えを予想しており、その答えが理想となって、問う私たち自身を導くのである。たとえば、「自分は本当は何をしたいのだろう」と問いつつ生きているとしよう。この場合、本当にしたいことを探しつつ生きているわけだが、こうした問いがなければ、そもそも本当にしたいことは見つからないかもしれない。問いがあることで、はじめて「したいこと」が姿を表すのである。いわば、問いが意味を導くのである。[79]

逆に言えば、問いに対する答えの表象が憧れをもたらす。憧れをもつことができるというのは、そして夢が私たちの生きる意味を与えてくれるというのは、幸せなことである。理想によって意味が与えられているかぎり、すべてのものの意味ははっきりしている。この意味で、

[78] 生物の形態や行動などについて何事かを語ろうとするとき、いくら目的論を排したいわゆる「自然主義的」な見方をとろうとしても、擬人的な言い方を避けることは難しい。「子孫を残すために」とか、「より強い遺伝子を求めて」などの擬人的な言い方は、目的に向かうものとして生命を捉えた、目的論的な見方である。

[79] 問いが推論を決定し、ひいては意味をもたらすことに関する言語哲学的な考察として、入江幸男『問答の言語哲学』(勁草書房、二〇二〇年)が興味深い議論を展開している。

理想は世界を照らし出す光であるとさえ言える。何のために生きているのか、その答えは理想によって与えられている。生きていることの意味もまた、理想が与えてくれる。生きる意味をもつことは幸福である。

私たちは重層的な観点をもち、自らがもちうるさまざまな役割を使い分けることで、世界の中で生きている。目の前にない可能性についてもさまざまな角度から検討し、考察することができるのは、まさに私たちが重層的な観点を獲得しているからである。私たちはさらに、現実とは異なる理想までももつことができる。理想や問いを抱きつつ、この世界が動いていくその先端へと自ら進み出て、歴史の創造の瞬間に立つことができる。そのとき私たちはかつての人間たちと同じようにこの世界を作り上げることに参加していると感じ、かつ彼らの気持ちを理解することができると感じる。今は亡き、過去の世界を突き動かしていた人物たちの思いを、自らが反復していることに気づくことで、私たちは偉大なる生命の連続性を認め、脈々と続いてきたものを新たに反復することとして、生きることを理解する。私たちの具体的なあり方とは、こうした豊かさをもつ。

自己を変える自己

さて、物事を多角的に見ることができ、理想や問いをもつ自己は、自己を変えようとするだろう。自己による決定の一つとしての行為は、外を変えるという動きであり、基本的に身体を介した運動をともなっている。だが、それとは別にまた、内を変えようとする行為もある。これは身体を介した運動をともなうとは言いにくく、自分の心への訴えかけや働きかけによるものである。

もっとも、外を変える行為でさえも、外へと一方向的に向かっていくものではないだろう。私たち自身が行為しなければならないという点では、何らかの仕方で、内に対する行為をともなっているとも言える。何かの行動をしようとしても、行動に踏み出せないということはありふれたことであるし、行動に踏み出すために自身に働きかけなければならない場面は大変に多い。外が抵抗をみせるのと同じく、内もまた時に抵抗をみせる。そして両者は時に連動しているのであり、どちらが内で、どちらが外か、決め難いこともある。

私たちは欲望に駆られると同時に、欲望とも言えない何かによって内側から支配されているとも感じている。何かによって刷り込まれた義務感や道徳心が、内側から自分に命令してくると感じるかもしれない。それは「気づき」によって克服することができるかもしれないが、それでもなお、性格や性向と呼ばれるものが、自らを内側から規定している。これらを変えたいと私たち自身が思うこともある。たとえば、何かに依存してしまう自分を変えたいときなどがそうである。しかし、外への働きかけと同等か、あるいはそれ以上に、内への働きかけは難しい。

自分自身へと働きかけるときにもさまざまな場合があるが、自らの内へと、心へと働きかけるときに典型的なのは、先にも例に挙げた「自分は本当には何がしたいのか」と問う場合であろう。こういった問いは、「いま自分のしていることが本当はしたいことではないのではないか」という疑問のもとに発せられるのではないだろうか。もし問わなければ、本当にしたいわけではないことをし続けることになるだけだろう。つまり、問うているというよりは欲求や欲望を整理し、そこに秩序をもたらしたり変化させたりしているのである。本来ならそれほどしたいわけではないのにしていることの中から、本当にしたいことを選び出すというのは、たんに認識をしているのではなく、自己を変える行為なのである。

もちろんこれは認識をともなう働きかけであるが、それほどしたいわけではないものを整理して、そこから本当の欲求を選り分けるためには、認識だけでなく自己への働きかけが必要であろう。そしておそらく、「私を知ろうとする私」をめぐる困難よりも、「私を変えようとする私」をめぐる困難のほうが、より切実である。両者は似ているように見えるが、大きく異なってもいる。

哲学的によく論じられてきた前者が、知的な関心の枠内に収まるものであることは、すでに論じてきた。私を知ろうとするのは、あくまでも自身への気づきを前提とした上でのことであるが、対象としての自己を知ることは対象認識の一環である。それに対して、自己を変えようというのは、変えられる自己と変える自己との同一性はもはや崩れている。変えようとする自己は、すでに変えられる自己とは同じところに立っていない。少なくとも、自己を知る自己が、二つの自己の同一性を前提とせざるを得ないのとは、明らかに異なっている。

自己を変じる自己は、二つの自己が同じであることを強く要求することはない。もちろん、二つの自己がまったく別であれば困るけれども、しかし自己認識の場合とは異なり、まさに自己を変えたいわけだから、変える側の自己はむしろどうでも良いのであって、あくまでも変えられる側の自己の状態のみが問題となっているからである。自己は非同一的なものとして、自らを変えようとしている。

ただし、実際に自身を変えようとするときは、認識の場合と同じくまさに対象にかかわるようにして自身へとかかわるのであり、難しいことがあるとすれば、それは自己をまさに対象的なものとして取り扱うところにある。手始めにできることは、物体的なことを通して自己を変える手段をとることだ。衣服を変えてみれば、部屋の装飾を変えてみれば、気分が変わるし、それによって自分も変わるかもしれない。もちろん、こうした手段によって変えられることには限界があるために、自らの心を変えるというのは、なかなか容易にはできないことだ。そこで次に、自らの内なる心への働きかけは、自分に言い聞かせるなどの、言葉を介した介入を行うだろう。他者の心へと容易に介入できないのと同じく、自分自身の心を動かすこともまた、容易ではないものの、それでも私たちは自己に声をかけ、自己を問いつめることで、自己を変じようとする。これもまた、具体的な自己の姿である。

観点がともなう意志

自己を変じる自己は、どのように呼ばれるべきだろうか。自己はそのただなかで自分を対象とするようなものであるから、正確に言うならば、非対象的なもの、つまり、対象とはならないものである。それをもっとはっきり言おうとして、認識の場面では「観点」という語を用いた。しかし、行為するという側面に対しては、別の語すなわち「意志」という呼び名を用いるのが自然であろう。

欲求をもコントロールしようとする、最終的に自己を決定しようとするもの、これが「意志」という語で呼ばれる。これまで述べてきた「観点」と対比させてみよう。局所的な視野は、他人の視野との共振および接続を通して、より広い視野へと拡げられていくが、そこに厚みができ、さらには相容れない複数の視野が重ねられてきたとき、それらを最終的に束ねるものを観点と呼んだ。視野の重層性が増せば増すほど、それは豊かなものとなっていく。異なる役割による意味の違いが自身の内で分かるとき、〈私〉は相異なる役割を束ねるような観点を獲得していると言った。だが、私たちはたんに世界を眺めるだけのものではなく、さまざまな見方を、つまり視野を使い分けることで生きている。これは、自らが相異なる役割を引き受けていることと関係している。たんに束ねるだけでなく、そのあいだを調節したり、どれかを選び取ったりするのは、たんに異なる視野を束ねることについて言われた「観点」という語によってではなく、むしろ「意志」と呼ばれるべきであろう。つまり、観点が主体的で実践的なものとなったとき、意志と呼ぶのである。

とはいうものの、意志とは何なのか、いかにも見定めがたい。行為をめぐって、意図や欲求をもとに考えるのが一般的であるのに対して、意志という概念を用いることは、さまざまな問題を引き起こすので評判が悪い。これまで自己をめぐって「内外」の区別を多く用いてきたが、この区別もまた「意志」にうまく適用できない。

普通に考えるなら意志は意識の内のものであろう。ただ、「内と外」というのは必ずしも固定化したものではなく、場合によっては変動する。自己を対象とする場合がそれである。自分を対象とする場合には先に「内」だったものが「外」になるだけである。すでに述べたように、私たちは自らの行動の後に、自分の意志がどういうものであったかを知ることがある。そのため、意志を単純に「内」のものと見なすことはできず、むしろある種「外のもの」つまり自分の意識を超えたものと考える必要も出てくる。内外の区別が意志にうまくあてはめられないのは、意志が見定めがたいことに加えて、そもそもこの区別自体が役立たないからである。

内外という区別から離れて、対象的・非対象的という区別によって考えた方が良い。つまり、自分に向かってくるものとして対象という側面においてか、それとも、対象へと向かう心の態度としてか、という区別である。そもそも「観点」もまた、内外の区別ではなく、対象的・非対象的という区別によって、つまり非対象的なものとして捉える方が適切であった。同様に、意志も明らかに非対象的なものという重要な性質をもっている。もちろん、意志について語るときはそれを対象化して語ることになるけれども、意志は自らの心を定めるものであるから、厳密に言えば対象というよりむしろ非対象的なものとして位置づけられる。

ところで、対象とならないもの、非対象的なものを印象的に言い表す一つのやり方としては、よく知られているように、それを「無」であるとか、あるいは「絶対無」などと言い表す方法がある。[80] 非対象的と言ったとしても、「何々というもの」と言ったとたんに、何か存在者を表すように見えてしまうからだ。そのため、存在者を指し示すような言葉を避けて、対象の一つではないことを強調するために「無」という述べ方をすることには、ある種の必然性があるようにも見えよう。

対象的なものは「あるもの」である。或るものでもあるが、有るもの・在るものである。それを普通の日本語では「存在」であるとか、より正確には「存在者」などと呼びならわしている。実在を示す「がある」と繋辞としての「である」が区別される一方で、実在を示す「がある」にはそもそも物理的に実在するか、それとも意味の領域でのみ存在（存立）するかの違いがあった。一方で、繋辞のほうの「である」について言えば、それは存在者に対して述定する通常の形式である。存在者こそが何々であると述定され、対象的に認識される。何々であるということに、意味が見出される――なぜなら、何々は知覚される物理的なものであったとしても、「である」ことは述定を措いてないし、言葉による表現がなければどこにもないからである。「あるもの」ないし存在者は、実在するものだけでなく、実在とは切り離された意味の領域まで含むことで、およそ対象的なもの全般を含んでいる。

しかし、対象的なもののなかには、自己は入っていない。確かに自分は対象の中の一つであり、しかも身体をもつものとして実在的なものでもある。自己の働きは身体とりわけ脳にその局所的な実在が示されるし、脳は人間身体のなかで、世界と交流する結節点となっている。[81]だからといって、世界と交流する結節点としての脳について考えようとするなら、それはすでに世界について考えることと変わらなくなってしまう。いずれにせよ、〈私〉自身は背景に消え去ってしまっている。自分について考えているこの自己のみならず、自分を決定づけているこの自己もまた、対象的なもののなかにはない。

そのため、意志を「無」という語を用いて特徴づけることには、一定の有効性がある。そもそも、私たちを根底から決定づけているものの多くは闇に包まれており、対象的に示すこと

[80]「無」は西洋哲学でも多く用いられてきた根本的な概念であるが、日本の近代哲学では西田幾多郎を中心にこうした用法がとりわけ広くみられる。西田に特徴的なのは、私たちを根底から決定づけているものとして主体性の根源に「意志」を見て、それを「無」と特徴づける考え方である。

[81]脳は世界の中におかれた人間身体のなかで、外界へと拡がっていく領域のなかを行き交う情報の流れを局所的に集約しているので、「脳が私である」「私は脳である」とは言いうる。だが、このとき表象されるのは、もはや世界と交流する結節点ではなく、交流から切り離された一物体としての脳であり、それは「外」をもたない抽象物にすぎない。

には無理があることが多い。私たちがどういう人間であるかを決めているのは、遺伝的な決定のほかに経験の積み重ねがあり、多くは明示的に示されうるものではなく、むしろ複雑さの中に埋もれているからである。「意志」の概念を用いなければならないとき、そのときはじめて、こうした主体性の根源をめぐる問いが必然性を帯びてくるのである。

とはいえ、その中には明確に原因として示せるものもある。私たちの意志を決定づけるような経験がある以上、私たちを決定づけているものは「無」というよりも、むしろ「過去幾世の因縁」であると考える方が適切であろう。[82]「無」という規定だけでは何も前進しないのであるから、むしろ多くの因縁の積み重ねとして、ひょっとするとこの世に生を受ける前からの因縁の積み重ねとして考えるほうが、私自身が知りえていない数多くの機縁によって私の観点や意志が形作られているという状況により適合している。

非対象的であるとは複雑な因縁の中にあるということであり、だからこそ、有（存在者）を包み込む「無」として特徴づけることに一定の有効性があるとしても、「無」という語で済ますことは思考停止に近く、決して好ましいとは言えない。自己は異なる視野を束ねて眺めることができるような観点をもっており、たんに認識するだけでなく行為へと向かう意志をもっているが、それは「過去幾世の因縁」により形成されている。そしてこれら無数の因縁の中には、決定的な原因として特定されるものもあれば、複雑すぎて特定することが困難なものもある。そのようなあり方を自己はしている。

さらに言えば、このような自己はまた可変的なものである。自己を形づくるものが複雑であるということが、意志の可変性の理由となっている。行為へと向かう自己は決して一枚岩ではないのだ。たとえ固い決意であったとしても、気が変わってしまうということはよくある。人生の理想でさえも、時にはがらりと変わってしまう。

先述のように、〈私〉が受けもつ立場や役割は社会的な客観性をもつが、それでさえ引き受けるかどうかは最終的には私の意志に依存している。たとえ周りからどういった役割を与えられていようと、意志の力によってそれを拒否するといったことも可能である。あたかも、すべては最終的に意志により決定されているかのようになっている。それでもなお、その当の意志はさまざまな因縁によって仮の決定をしている泡のようなものである。

私たちは、自己が社会的にもつ役割を複数抱えて、演じ分けることで、普段の生活を行っている。それぞれの役割はまた、それぞれの意味合いから世界を眺める視野を開いており、それらにまたがる「観点」を私たちはもつ。さらに、世界に意味を与えたり、多様な意味を選んだりまとめあげたり、あるいは行為へと向かったりする「意志」を私たちはもつ。こうして自己

[82] 西田もまた、絶対無についてこう述べている。「真の内的生命とは自己自身の底に深い非合理的なるものを見ることである……自己限定の底に過去幾世の因縁を見ると共に、過去幾世の因縁を自己限定となすことである」(『一般者の自覚的体系』旧版全集五巻四一二頁/新版全集四巻三三七頁)。

を最終的に決定しているのが「意志」であるとすれば、それは他の何ものにも依存しないような、徹底的に非対象的なものと言うことができるが、この特殊な性格を示すために「無」と言うことがあるにせよ、自己を作り上げているのはあまりに複雑な因縁の絡み合いであり、その蓄積である。だからといって、それがどういうものかを対象的に認識することは、たとえ不可能ではないにしても、もはや困難を極める。むしろ、それがどういうものかを示すものは自らの実際の行動以外に無いのである。

意味を与えるもの

徹底的に非対象的で、他の何ものにも依存するとは考えられないような意志が、「無」として特徴づけられもする意志が、自己を最終的に決定しているとするならば、それこそが最終的に「意味」を左右している何かであるということになる。「意志」の概念にいたった道をもう一度たどりなおしてみよう。

意味が変わるのは、一般的に言えば（すでに第一章で述べたように）文脈の変化によってである。とりわけ、自己の文脈の変化によって、私たちにとって世界の意味が変わっていく。自己の文脈が、意味を決定しているのだとしたら、自己には意味を与える力があるということになる。だが、それだけではない。私たちは、衝突するほどに異なっているような視野をも束ねる観点をもっている。私たちは行為によって世界を変えることもできるが、世界の変化はそれだけにとどまらない。役割によって見方が変わるのであるから、自身の内で視野を変えてみることで、世界はあたかも変化したかのように見えてくる。

相容れない異なる見方は、他人のそれと出会うという場合のほかに、自分自身のなかに見出されることがある。それは、異なる立場、異なる見方が、違った時期の自分自身に基づいているからである。時間的な隔たりがあるならば、自らが事象に与えてきた意味づけが異なっている場合があり、このことをふり返ることで、周囲に新たな可能性が開かれるのを経験するかもしれない。いずれにせよ、私たちは経験を積み重ねることで、世界を多面的に見るようになる。

多面的であるとは、意味が一つに定まらないこととは別である。さまざまな可能性がありつつ、それでも一つに定まるということが多面的ということだからである。たんなる「客観的世界」より複雑で高次の、厚みをもった重層的な仕方で、世界を見るのである。〈私〉は自らが視野の接続によって作り上げた広域的な視野に縛られるのではなく、複数の広域的な視野を自在に渡り歩くような余地を手に入れている。これが重層的な観点であり、ここにあるのは厚みのある世界の相貌である。

そして、こうした自己のあり方を最終的に決定づけるものこそが、「意志」と呼ばれてきた。もちろん、意志という概念は、さまざまな仕方で用いられており、個々の欲望に関して言われることもあるし、一切の私利私欲を度外視して道徳的行為に向かう意志というおよそ日常的な言い方からかけ離れた道徳主義的な言い方もある。しかしまた、私の生を根底から規定する意志といった形而上学的な用いられ方もする。後の二つが共有しているのは、この語が敢えて用いられるとき、私たちの心の奥底を最終的に決定しているものを指し示しているということだ。ここで言う「意志」もそうしたものである。

私たち自身にはさまざま側面があり、さまざまな自分を使い分けている。それを役割とか立場とかいう語で呼んだ。それらを使い分けたり、あるいはどれを用いるか、用いないかを決定したりするものをここで考えているわけだが、それは私たちの最終の根拠であり、かつ無根拠であるとしか言いようがないものである。この意味での意志こそが意味の最終的な根拠となっている。自己が意味をもたらすと述べてきたが、正確に言えば、この場合の自己とは意志のことだということになる。役割や立場はその目的から独自に意味を構成するが、そうした役割や立場をそもそも自分に与えたり与えなかったりするのは、最終的にはこの非対象的な何か、すなわち意志である。

意志は、何かを意志する。大きなものとしては理想がある。私たちは理想へと向かって意志する、つまり、自己決定する。理想はしばしば表象を欠いた仕方で、問いのかたちをとって現れる。たとえば、「幸せとはどういうことか」という問いが、幸福の理想を示している。そして、問いつつ生きるとき、私たちは自らの生に意味を与えることができる。そのため、意志によって、最終的に世界の見え方が変わってくる。もちろん、たんに意志のみに依存して意味が決まるわけではなく、当然のことながら外部への関与の中で意味が生じるのではあるが、さまざまに異なりうる意味的なものを最終的に決定するのは、私たち一人ひとりの意志である。あらゆる意味を拒否するのも、あらゆる意味を変更したり決定したりするのも、決して恣意的に動かせるものではないにしても、それでもやはり私たちの意志である。

しかし意志はまた、現実の前に挫かれるものでもある。

3　自己の変様、世界の変貌

剝き出しの現実

可能性に思いをめぐらすことには意義があるし、理想をもつことも重要ではあるが、何よりも現実を直視することが先決という根強い考え方がある。現実を把握できなければ私たちは効果的に世界に働きかけることはできないし、現実から遊離した認識は改められるべきことは言うまでもない。だが、現実の直視はたんに勧められるものというよりは、むしろ強いられるという特徴をもっている。このことが何よりも明らかになるのは、理想が現実の前に敗れるときである。

理想に向かって邁進するという生き方を常にし続けることはできない。理想が破れ、そこから絶望へと突き落とされるとき、ふと視線を足元へと向けてみると、それまで心の壁に阻まれて目に入っていなかった現実が見えてくるだろう。そこにあるのは、それまで決して気づかれていなかったもの、目を落としていたかもしれないが見ていなかったもの、いわば唾棄されるべき現実である。それはかつてはたんに見えなかった現実、あるいは、見ようともしなかった現実である。

第三章で述べたような「心の壁」は、ある種の現実を視野の外へと追いやり見えなくするものであった。私たちはいくら心を柔軟にしても、やはり直視を避けることで現実を置き去りにしている。たとえば、意味もなく死んでいく者たちのことを、私たちはほとんど気にかけない。もしその無意味さを気の毒と思うことはあるだろうが、私たちはむしろ生にのみ目を向ける。もし死がイメージとして相応しくないと感じられるなら、無意味なあらゆる「失敗」を例として思い浮かべても良いかもしれない。理想が世界を照らし出す光であるなら、その光が作り出す影の中には、広大なる無意味の領域が広がっている。

意味もなく死んでいった者たちの無数の屍が散乱しているというのは、比喩ではなくてたんなる事実である。物理的な屍は片づけられていたとしても、かつて屍が折り重なってきた事実は消えないし、そのほとんどは意味のない死、意味のない屍である。自然災害によって突然に奪われた生。争いによって断たれた生。高度に発達した文明においても、なお無意味に並べられた屍を目にする機会は無くならない。そこから道徳的な教訓を引き出すことはできたとしても、それにどれほどの意味があるだろうか。折り重なった屍には何の意味も与えられない。ほとんど何の意味をも与えることができない現実を、私たちは見ないようにし、そしてすぐに忘れていく。

現実を直視せよというのは、心の壁が崩壊した後にただ残される足元のこうした無意味な現実を見よ、という勧告だったのだろうか。必ずしもそういうものではなかっただろう。そうではなく、現実の中でうまく行動するために現実を見ていなければならないということだろう。なぜなら、これは見る必要のないものであるからだ。理想へ向かうためには無視すべき現実だってあるからだ。

　理想が破れたときにふと見えてくる現実、理想により与えられた意味を剝ぎ取られた現実とは、つまるところ意味もなく死んでいった者たちの無数の屍の散乱に他ならない。どこにもない可能性に目を向けるのではなく、今ここに視線を向けるとき、理想によって与えられる意味を剝ぎ取られた、生々しい現実を目にするとき、これはいったいどういうことかと私たちは問わざるをえない。今まで目に入っていなかった、あるいは視界から排除していた、この世界の姿に気づいたとき、それでも直視した方がいい現実だと言えるだろうか。それが現実だとして、そこにいったい何の「意味」を見出し得るのか。

　理想主義は、そのような問いに対して即座にこう答える。現在の私たちは、未来の福祉のために屍となるほかはないのであり、残念ながらそれが現実だ、と。なるほど、私たちは自らの人生の悲惨にあきらめをつけるとき、それを何とかして自分のあとに残るもののために供しようとする。最初はいくら納得できないと思えたとしてもやがては現実を受け入れて、後の世代へとすべてを託すしかない。そのため、私たちは個々の理性的存在者の立場からではなく、類としての人類の見地から考えなければならないし、逆にそうするほかはどうしようもないというわけだ[83]。

種としての人類は確かに、理想を歴史的に達成していくことで、無意味な死を積み重ねることで進歩してきている。歴史的に見るならば、いかなる国家であっても、無数に血を流すことで成立してきた歴史をもっている。人類は巨大な悲惨の上に今日の世界を作り上げてきた。大局的に見れば、そのような歴史的な観点をとるほかはないのかもしれない。個々の私たち自身の存在に、はじめからほとんど意味はなかった。ただ一つの段階として、いわば捨て石としてのみ意味があるのだ、と思うしかない。

だとしても、である。足元の無数の屍を見るなら、無駄死がいかに多いかということに暗澹とさせられる。多くの死には、ただの捨て石としての意味さえもない。戦闘の中でたんなる誤射によって味方に撃たれて死んでいくものもいる。たとえば、日本軍によるキスカ島撤退作戦ではアメリカ軍による多数の同士討ちが発生したが、こうした事例は決して珍しいことではない。また、大量虐殺におけるように、ただこの世から抹消するためにのみ殺されていくものもいかに多いことか。

[83]カント「世界公民的見地における一般史の構想」第三命題(『啓蒙とは何か』篠田英雄訳、岩波文庫、一九七四年)。

古来、多くの人を嘆かせてきたのは、極悪非道のものが安逸な生を享受していくということであった。敗者の思いを伝えるものはいないし、闇に葬り去られた罪悪は数知れない。だが、もし悪がはびこり悪徳が栄えるのならば、それは無意味というよりも、まだ逆説的な「意味」をもつ。それに対して、現実はむしろ、そのような「意味」さえをも禁じるような無意味にあふれている。無実の罪のなかに一生を終えるものもいれば、生まれながらに植物状態の中にとどまり、苦しいのかも周りには分からないままに一生を終えるような場合だってある。悪徳が栄えるといった意味さえそこにはない。

むしろ現実は、まったくでたらめに意味なく苦しみが拡がっているだけに見える。この世はほとんど「生き地獄」だと言いたくなるのは、このように意味がすべて剝ぎ取られたときである。

今述べたことは、極端な厭世的感想だと受け取られるかもしれない。この世には、幸福なものもいれば不幸なものもいる、それだけのことだと言われるかもしれない。それはたんなる運の問題だとか、あるいは宿世の縁だとか言って納得するしかない、と。だが、こうした現実主義にはすでに幾分か、幸福な生こそが「正しい」ものであり、真実の生であるという想定が入り込んでいることに、気づかないわけにはいかない。いみじくもカントが指摘したように、健全な道徳心が向かう先は、つまるところ徳福一致の理想でしかないからだ。常識がもつ「健全性」の裏にはこっそりと、清く正しく幸福な生、天国のような世界、それこそが理想と一体になった現実であるという、これまた極端に理想主義的な見方が潜んでいる。

もし理想主義に間違いがあるとすれば、どこにもないものを希求しているからではない。そうではなく、それは私たちの足元から、そして私たちとおそらく関係を取り結ぶことのないような無数の他者たちから、幾分か目を背けることによってのみ成立しているからである。あらぬ方を見ているのではなく、足元を見ていないのである。それはおそらく最後の「心の壁」なのだ。

それに対して、いましがた目を向け始めたこの無意味な「現実」は、光に照らされることなく足元に横たわったこの世界は、はっきりと「生き地獄」の様相を呈している。私たちの「人間的な」世界よりも苦しいものとしての地獄とは、何の意味もなく、たんに苦しいだけであるという、苦しみを極限にまで高めた上で無意味化した世界の表象である。あるいは、ここで生き地獄と言うかわりに、地獄をその一部として含んだ、非人間的な世界といった方が良いかもしれない。幸福なものどもや夢に駆られたものだけでなく、餓鬼の苦しみや地獄の模様が、栄光と悲惨とが剝き出しになったこの世界の実相こそが、私たちの目にいましがた飛び込んできたのである。

生きるとは、かくも無意味で残酷なことなのだろうかと叫ぶとき、生命はもはやたんに問われているだけではない。私たちの存在そのものが、生命への問いそのものとなっている——生きるとはどういうことかという問いに。この問いを見失うとき、もはや自分を見失うしかないというほどに、生きることが最高度の強さにおいて問われている。この世界の真相を視野に据えるということは、問いつつ生きるということである。この問いを問うことにおいてのみ生きているという、そのようなときがある。

意味が到来する

理想によって照射された意味のベールを剝ぐことで、たんに無意味なように見えるこの非人間的な世界の姿に突き当たった。すべてはいったい何なのかという問いのもとに、このとき世界の諸相は、これ以上広がることのない広い視界のうちに入ってきている。いかなる関心によっても制限されずに、いかなる光によっても明るさの差別を与えられずに、世界があらわとなっており、その世界が問われている。「生きるとはどういうことか、このすべてはいったい何なのか」という問いをひとたび失うならば、もはやこのような世界の姿を見ることはできない。なぜならそのときふたたび、私たちは世界をさまざまな意味のベールによって覆い、理想の光によって照射するからである。もちろんそれは決して悪いことではない。だが今、意味のベールが剝ぎ取られた剝き出しの世界の諸相は、出口のないこの問いに憑かれた生にとってのみ「見える」ものとなっている。

すべては何なのかという問いに対して、完全な回答を与えることはできないし、むしろこの問いは「何か」に対する通常の回答を求めているわけではない。だとしてもなお、一つだけ確実に答えられることがある。それは「何か」についての答えではなく、すべてがどのように与えられているかについての答えである。すなわち、すべては時間の中に与えられるということ、未来からやってくるということである。

意味がたとえまだやってきてはいないにしても、それは未来からやってくる。意味は、私たちが生きることを通じて、未来から到来してくるという性格をもっている。過去と関係を取り結ぶにしても、あるいは無時間的なものを対象とするにしても、意味は必ず未来からやってくる。

どのような意味がやってくるのか、それについて私たちは何も希望することができないが、それが未来からやってくるということだけは答えられる。生きているとは、いまだ完結していないということであり、いまだ結論がないということである。無意味であるとは、いまだ意味が与えられていないだけでなく、これから与えられる意味に対して開かれているということである。未来とは知り得ないもの、見通せないものである。たんに未来のことは予想しづらいというだけでなく、完全に他なるものであるということ、徹底的に他なるものであるということだ。他なるものとは、私を超えたものであるということである。意味を剥ぎ取られた現実のもとへと到来する他なるものとしての未来は、徹底的に私たちの予想を裏切る。まったく新しいものとして私たちの把握を超えている[84]。

この他なるものとしての未来は、たんにこれからやってくること、今はまだやってきていないがこれから実現するという時間的な意味での将来とは違っている。やがてやってくる将来というのは、直線で表されるような過去・現在・未来の考え方である。ある程度は知られており、かつある程度は不確かだというのが時間的な未来である。だがここで言う他なるものとしての未来は、新しい意味をもたらすというあり方をしている。そのようなあり方へ向けて開かれるためには、世界を覆いつくしている意味のベールを引き剝がさねばならない。私たちにとって未来は、既存の意味のベールにすでに覆い隠されており、生きるとはどういうことかと真剣に問うことなしには、真には開かれないのである。

世界の新しい意味は、未来から私へと到来してくる。現実はたんに無意味なものなどではなく、その新しい意味は、まだやってきていないのである。まだやってきていない可能性、未知の可能性が現実の中にある。この他なるものとしての未来は、理想が破れたとき、刀折れ矢尽き果ててふと足元へと眼をやったとき、あたり一面に地獄の様相があらわとなったとき、そしてこの世界のすべてが疑問となったときに、はじめて私たちが直面するような現実のありさまから逆に照らし出される。

未来へと開かれているということは、つねにまったく新しい世界の意味が、まったく他なるものとしての意味が、やってくるということである。だが、そんなことがあるだろうか。世界には変わらない意味が固定的にあるのではないか、それがたとえ私にとっては無意味としか言いようがないものだとしても。しかし、すべてが変わりうる以上、どうして私に未来が把握できようか。生命への問いが内側から真剣に問われるとき、その問いそのものをのぞいて私たちは存在し得ないかのようにまで問いが深められるとき、そのときはじめて私たちはこの他なるものとしての未来を、そして、未来へと向かう生命の姿を見出す。そのとき私たちは、世界の新たな相貌を見出すのである。

世界の新しい意味が未来から到来することで、私たちにとって世界は変わる。もちろん、世界の見方が変わるのにはいろいろな原因があるだろう——経験によって変わるし、場合によっては意志の力で変えることもできないわけではない。さまざまな「気づき」によって変わることもある。しかし、もっとも根底的な気づきは、現実はいまだ完結していないということ、新たな意味が未来からやってくるということだ。この気づきは私が変わることなのか、それとも世界が変わることなのか、もはや区別できないにしても。

私が変わるとき、世界もまた変わると言わねばならない。そして、世界が変わるとき、私もまた変わる。知識の変化において対象もまた知識にとって変化するのと同じである。こういっ

[84] この、時間のあり方と他者のあり方との対比によってとりわけよく知られているのは、レヴィナスによる考察である(『時間と他者』原田佳彦訳、法政大学出版局、一九八六年)。

た変化が「経験」であり、「経験」とは新たな真理形態の出現として自己と世界がともに変様していくことである。

といっても、まだこれだけで疑問が解消されたとはとても言えないし、まだ残っている疑問がいくつもあるが、少なくともその中の一つは、ぜひここで答えておかねばならない。

変様なのか開示なのか

答えねばならない疑問は、世界が変わるというのはどういうことなのかをめぐるものである。それは世界がまったく新しく生まれ変わるということなのか、それとも世界が最初からもっていた意味が新たに開示されるということなのか、という疑問である。もし後者であるならば、なぜ開示は未来に属するのか、という問いが続くであろう。

多くの場合、世界の意味が変わるときには、世界が最初からもっていた本来の姿が新たに見えてくるように思えるであろう。以前の見方は、たんなる私自身の狭く限られた料簡によるものであった、というふうに。あるいは、以前に世界の姿と思っていたものは、たんに私にとってそう見えていただけであった、というふうに。その蒙が解かれて、いままさに本当の世界の姿が立ち現れてきたのだ、ときっと感じられるであろう。こうして、究極の真実というものが表象されるのだが、はたしてこれは正しいのだろうか。

これまでの考察でも次のような例があった。蛇がいると思い恐怖におののいていたが、それはたんなる間違いであった、本当は縄がおちていただけであった、という場合がそうである。蛇かもしれないと用心していただけではなく、そう信じ込んでいたわけである。私にとって以前の真実とは、そういうものであった。私だけでなく、自分以外の他人も皆、同じように考えていたかもしれない。それに対して、いま新たに開示された真実があるとすれば、それは以前からずっとそうであったには違いないが、それでも私の変化とともにはじめて私にとって新たにもたらされた真実ということになるだろう。では、以前は間違っていただけなのか。

これは自然物だけでなく、人によって作られたものや表現されたものについても同じように言えることである。「塞翁が馬」が意味深いものとして分かったというような場合に、以前よりこの表現の字義通りの意味は分かっていたし、それは今でも変わらない。しかし、経験を通してまさにしみじみとこの言葉の意味を噛みしめるとき、この言葉を伝えてきた人たちもまたこの意味を知っていたのだ、と感じざるを得ない。少なくとも、私一人がこの言葉の意味を、まったく新しく見出したというわけではないだろう。すでにあるところの意味が分かったのである。そしてその意味が、かつての自分には分からなかったのである。

そうだとすれば、開示されていった先こそが重要であり、以前の見方はたんに間違っていたものとして、何の意味もないもの、捨て去るべきものということになる。これは、理想が破れたときに、ふと私たちの足元に死屍累々とした地獄を見出すと述べたことを思い出させるであろう。そして、あらかじめあったものが開示されるのならば、開示の果てには究極の真相があるはずとも思われよう。しかし、もし究極の世界以外のすべては無意味なものという位置づけになってしまうのならば、救いがないようにも思われないだろうか。

しかし、これまで述べてきたのは、世界の究極的な真相は、むしろその重層性とともにあるということだった。ここにこそ、すべてがかかっているのだ。

世界が重層的であること、だからこそ瞬時にその相貌を変えうるものである点については、「輪廻」としてよく知られる考え方がある。とりわけ仏教の伝統において、さまざまな仕方で表象されてきたように思われるこの点をめぐり、最後に『平家物語』のよく知られた挿話を一例とすることで考えておきたい。

滔々と流れるような美文で知られるこの物語の末尾には、挿話というよりむしろ結論のようなものとして、次のような簡潔な話がおかれている。大原を訪れた後白河法皇に対して、建礼門院徳子は次のように語り出す。平清盛の娘として生まれた徳子は、何不自由ない人生を、それこそ天上界のような生活を味わった。しかし、清盛の死後、平家の急速な没落によって、様々な境涯を味わっていくことになった。まずは人間らしい生活へと、つまり、楽もあれば苦もあるような生活へと向かうが、そこにとどまることはできなかった。戦乱の世になり、逃げ惑う生活へとすぐに転じていった。それはいわゆる修羅の道であった。やがて食料にも不足し、船上で真水を飲むこともできず、餓鬼の苦しみが待っていた。その果てにあったのは、我が子安徳天皇の入水という地獄の経験であった。自らは海から引き上げられ命を取り留めたにせよ、徳子は六道すべてをつぶさに見たのである。こうした経験により、仏道へと目覚めることになったと徳子は述べるのである。[85]

「六道の沙汰」としてよく知られているこの説話は、重層的な意味の世界が行き着く先を、象徴的に示している。仏教色が強いため、何か世俗のことと遊離したように見えるかもしれないが、述べられているのは要するに互いに相容れないような様々な境遇を経ることで重層的な意味世界を獲得したということである。示唆されているのは、徹底的に目覚めるとき人が見るものもまた、無限に広く深くなった視野つまり無限に重層性を増した意味世界であるということだ。要するにここで示されているのは、人の幅の広さや奥の深さをめぐる一つの表象なのである。

複数の観点を渡り歩くといっても、二つの側面を区別して考える必要がある。異なった観点を遍歴するという時間的な側面と、同時に異なった観点を見渡すという空間的な側面とである。六道の沙汰の物語は時間的な遍歴であって、しかも人の一生のあいだでの遍歴である。通常なら、輪廻転生によって幾世をも経てさまざまな境涯を経験するように表象されるわけだが、

[85]『平家物語』灌頂巻《かんじょうのまき》。平家物語には数多くの異なる版本があり、中には灌頂巻をもたないものもあるとはいえ、今日広く読まれるのは明石覚一による覚一本であり、そこではこの巻に焦点を結ぶ構成が見られる。

ここでは一生のあいだに六道（地獄・餓鬼・畜生・修羅・人間・天上）をいわば駆け足で駆けめぐっている。[86] 輪廻転生を経る場合には、たとえ六道を経てきたとしても、必ずしもそれらを同時に見渡せるわけではないように思われるわけだが、一生の短い間に凝縮して経験したために、六道つまり考えうる限りすべての観点を一挙に見渡せるような立場にたった、というわけだ。

これは何を言おうとしているのか。六道といった複数の世界は、輪廻によって実在的に解釈されるだけではなく、大乗仏教では心ひとつによっていかようにも作り上げられるものとされる。言い換えれば、「同じ世界」が心の変化により地獄になったり人間になったりするという考え方である。さらに上の話がそうであるように、一生の間に経めぐるという解釈も広がるが、その背景には輪廻的な変化が生死を待たずに自在に起こるという思想がある。大乗仏教では、いわゆる普通の生き死にがそうであるところの「分断生死」と異なり、輪廻転生を経ずに複数世界を渡り歩く「変易生死《へんやくしょうじ》」という考え方が生まれ、仏菩薩は十界（地獄・餓鬼・畜生・修羅・人（人間）・天（天上）・声聞・縁覚・菩薩・仏）を自由に経めぐることができるという考えが広まった。大乗の仏菩薩は、複数の世界を自由に渡り歩くことができ、いわば「貫世界的」に存在している。そういう自在さをもたないのが迷界すなわち私たちが生きている世界である。[87]

それほど時をおかずしてひとまず六道を一通り見せられたことに関しては、複数世界をめぐることが原理的に必ずしも生死を経る必要はないということをもって答えることができる。ただし、仏菩薩が複数世界を渡り歩くのに対し、そういう自由をもたないのが迷えるものということになる。言い換えれば、六道をめぐらされたのであり、見せられてきたのである。迷えるものでも、死生を待たずに複数世界のあいだをさまようことができるが、そこには自由がない。そして、六道をすべて見ることで開眼するという点にポイントがある。

人は、六道すべてを経めぐることでしか、自覚を深めることはできず、自由にもなれないのである。ここに、先に「重層性を増す経験」と呼んできたもののすぐれた表象がある。

究極の真実以外はすべて無意味という考え方には、大いに偏ったところがある。それはあまりに分かり良い話ではあるが、見落としていることがある。最初から縄が見えていた人にとっては、それを蛇と見間違えることなど思いもつかないかもしれない。だとすると、その人の縄に対する理解は、蛇と見間違えた人と比べれば、薄く浅いものとならざるをえない。地球は球体だと最初から知っているものの世界観もまた同様であろう。次々に開示されていくものが積み重なっていくところにこそ、意味の変化が重層性を作り上げるところにこそ、真の世界の姿があると言わねばならないのだ。

[86]「六道」が人口に膾炙しているとはいえ、この点にこだわる必要はない。インド仏教に即して「五趣」で考えれば、神々、人間、動物、幽霊、地獄ということになり、幽霊はともかくとしても、今日でもきわめて普通に見られる世界観である。

[87]貫世界的なあり方を貫徹するならば、仏菩薩に限らず、十界は互いに相即相入的であるということになるだろう。これを「十界互具」と言う。

論理分析がもつ治療的な意義について述べた際に、すでに仏教が実践的なものをはっきりと掴んでいることを論じた。それは、私たちが見ている世界の姿がガラリと変わりうるという、いわば未来の可能性を基礎づけようとしているからだが、それだけではない。たんに世界の意味が変わるとか開示されるということではなく、数多くの異なる世界のあいだを行き来することによって、深みのある意味の世界を生きているという、まさにこのことこそが、本当に開示されるべき真相であることを示しているからだ。俗な言い方をするならば、酸いも甘いも噛み分けることによって深みのある意味を獲得することが、人の目指すべきことなのだ。これは必ずしも俗世間を超越したものではなく、具体的な人生の豊かな諸相に即して言われうることである。

おわりに

　ここまでの歩みを振り返ってみよう。誰もが意味について語るのに、意味というものを見定めることはもちろん、それへと目を向けることにすら多くの困難がともなっている。この点はこれまでも多く語られ、誰もが気づいていることではある。だが、意味がさらに変化するものであること、これが人生においてきわめて重要な現象であることは、一部をのぞいてこれまで焦点とされることが少なかった。本書は、この意味が変わるという現象について、それがどういうときに起こるのかという関心のもとに追究してきた。ごく単純な言葉のあり方からはじめ、言葉を通して表される意味の領域へ目を向け、語や文の意味、さらには文相互のつながりがどう変わりうるのかといった諸点を考察してきた。

　言葉に関するかぎりでは、多くの意味変化が文脈や状況の違いによって説明される。誤解が起こるのもまた、こうした違いによってである。そのため、誤解を避けたり、あるいは理解を深めたりするためには、文脈の違いをできるだけ正確に把握することが必要となる。文脈の確定、それが文意を正しく捉えるためには求められる。しかし、そもそも文脈や状況の違いは、言葉によってすべて言い尽くされているわけではない点に困難があった。

理解を進めるために、意味を確定させるには無限に言葉を連ねていくことが必要であることに着目した。文の意味が真理条件に帰されるのも、本来ならばこうした限定を前提としてのことである。もっとも、形式言語ならば、文脈や状況がそのような無限の限定を通さずに確定していることが前提とされている。形式言語が真偽をはっきりさせることができるのは、そして真理条件をもって意味とすることができるのは、文脈や状況がはっきりと確定させられ透明になっているからだ。しかし、自然言語においてはそうはいかない。無限に限定を連ねることによって、つまり連言の連鎖を無限に伸ばすことによって、記述は個別的な事実にまで、つまりその概念にまで到達する。私たちが普段、そのような文を構成しないのは、文脈を補うことによって実際上は十分だからである。

意味が変わることとは、文相互のつながりの変化と結びついているため、むしろ後者からよりよく理解される。推論は決して変動しないものではなく、意味の変化は推論の変化と連動している。推論の変化を見ることによって、それを引き起こしたのがどういった意味の変化であるのかをある程度は把握することができる。推論的な変化を見ることで、いまだ言葉によって表されていないものまで、つまり私たちの視野の変様にまで考察を及ぼすことができる。

だが、私たちは言葉で何もかも述べたり確定させたりしているわけではない以上、私たち自身の変様となると、もはや言葉に現れないところまで見ていく必要がある。推論に表れた文相互の連結の変化を内容的に見るだけにとどまらず、視野そのものについての考察へと踏み込むことがどうしても避けられない。そのため、視野がどのように構築されるかをめぐる現象学的な仕方での考察へと進んだ。意味の変化をもたらす文脈や状況の変化のなかでも、もっとも中心的となるのは自己の変様であるが、そもそも自己とはどういうものかを問うたのである。

私たちはたんに視野を拡げるだけでなく、自己を世界にもたらす存在でもある。世界のなかに自己の刻印を押すという仕方で、世界そのものを変えることにも加わっていく。このことを通じて私たちは、自分を理解しつつ生きている。自己に気づくことは、他のものの一つとして何かを知ることとは異なっているが、前者が必要不可欠なのはもちろん、後者がなければまた自己についての認識も深まらない。それだけでなく、行為する自己を通してしか、自己についての理解を深めることはできない。行為するとは自分を外化すること、自分の外へと出ていくことである。それによって、自己は世界のなかの一部となる。行為することで自分自身への理解を深めるのである。

ただ、私たちは見知った世界のみに生きているわけではない。私たちの初期的な条件は、あるいは自分一人の局所的な視野へと閉じ込められているというものかもしれないが、言うまでもなく他者とのかかわりの中で、とりわけ他者との言葉のやり取りのなかで、私たちは視野を拡げていくことができる。その形式的な経緯は、ある共通部分を前提とし、そこから視野の一致という原理によって、自身には見えないものへと視野を拡げていくという、単層的な視野の拡大であることを見てきた。

こうして視野を拡大したとしても、それがまだ単層的なものにとどまるならば、具体的な自己のあり方にまで届かない。いくら外延的に広い視野であっても、内包的に深い観点とはならないのである。単層的であることがもつ一つの特徴は、そこに様相性がほとんど見られないということである。これは、具体的な私たちのあり方からは程遠いと言わねばならない。そこで、重層的な視野にとって重要なのは何かと問うたのであった。

手がかりとなるのは、私たちが行為するにあたって、異なる役割や立場をもつようになるということである。そして、異なる役割には、その目的によって、異なる視野が対応している。したがって、行為する自己が引き受ける立場や役割によって、人は異なる視野をもつことができるし、それらのあいだを移行することができる。さらには、異なる視野を自らが、経験による視野の変動によって保持するにいたる場合もある。人は異なる視野を束ね合わせるようにして、まとめ上げることが事実上できている。異なる役割のあいだをどれほど自由自在に行き来できるかは人によっても異なり、いわば巧みさによるとしか言えない。異なる役割の混同によって問題が引き起こされることは、むしろ日常的にも見られることだ。だが、一般的に、異なる役割による異なる視野を人はよく束ねることができている。

視野を束ねるものを「観点」と呼ぶことで、単層的な視野と区別した。さまざまな役割を担うことによって、また、時間的に視野の変化を経験することによって、私たちは厚みのある観点を手に入れる。というよりも、私たちの具体的な観点は通常、このような厚みや重層性をもっている。重層的な視野は、たんに多角的な視野というだけでなく、さまざまな可能性について考えることのできる観点である。様相性もまた、重層的な観点がないと成立し得ないのである。現実と異なるものへ向かって生きていくということ、つまり理想をもつことができるという人間的な性格もまた、重層的な観点がもたらすところのものである。

厚みのある観点は、ものごとを多角的に見て理解することのできる人間を作る。もちろん、ときには異なる視野の調停ができないこともあり、こうした場合、観点は視野のあいだをいわば揺れ動く。いかに観点としての一貫性を保持するかは、つまり多くの視野をうまく調停させる巧みさを得るかは、経験や成長ということで言い表されることである。厚みのある観点を獲得することは、一般的に言って目指されるべきことであるし、大人になるとはそういうことでもある。

とはいえ、異なる視野は必ずしもうまく束ねられるわけではないし、視野の広がりは無制限に許容されるわけでもない。私たちは異なるものに目をつむって、いわば「心の壁」を作って排除することで、安定した意味の世界に住み着く。これは決して否定的に見られるべきことではない。「心の壁」は、意味の世界が成立するためには欠かせない機構である。いわば、自らを積極的に制限することで、私たちは大人になっていく。

だが、こうした安定性が揺るがされることがある。さまざまな仕方で、観点の安定性を揺るがすような異なる視野がもたらされる場合がある。なるほど、大人になれば安定性の度合いは高まるが、それでもなお、観点が揺るがされることは避けられない。とりわけ目立つのは、異なる視野との遭遇による危機である。こうしたことを通して、心の壁が崩れるとともに、観点の揺れ動きが生じる。そのとき、言葉の意味もまた流動的となり、あるいは不確定的となっていく。新たに深い意味がもたらされることもある。

意味の変化が劇的に現れるのは、こういった局面においてである。意味の変化はさまざまな仕方で引き起こされるとはいえ、そのもっとも根本的な原因は、自己の変様に求められる。なぜなら、自己の文脈や状況の変化とは、すなわち自己のあり方が変わるということであるからだ。変化を通して自己が重層的になることに対して、自覚が深まるという言い方もできるであろう。

自己の何が変わるかといえば、すなわち「観点」そのものが変わるということになる。このとき新たな意味が、どこからか自己のもとに到来するように感じられる。自己の変様とは、新たな意味の到来なのである。そしてこれは同時に、世界が変貌を遂げることでもある。自己の変様と世界の変貌は、意味の変化を介してつながっている。意味の変化は、一方で世界が私にとって変貌することと、他方で自己自身が変わることとを、表現しているのである。

あとがき

本書は、これまでいくつかの機会に考えて発表してきた内容をもとに、幅広い読者層を想定してまとめなおしたものである。特に、内容が一部大きく重なっている論考を、ここで挙げておく。以下の六つの論考である。

「思考が言葉で変様するとき*」(『言葉の働く場所』松永澄夫編、東信堂、二〇〇八年)
「生命と他者*」(『哲学への誘いⅣ』、松永澄夫・伊佐敷隆弘編、東信堂、二〇一〇年)
「意味はいかに到来するか*」(『哲学すること』松永澄夫監修、渡辺誠・木田直人編、中央公論新社、二〇一七年)
「場所的論理の形成期における意味の問題」(『神戸外大論叢』、神戸市外国語大学、二〇一八年)
「意味理論の別の可能性」(『神戸外大論叢』、神戸市外国語大学、二〇一九年)
「意味の変化と観点の重層化*」(『ひとおもい 3』、東信堂、二〇二一年)。

こうして振り返ってみると、十五年近くにわたって一つのことを考え続けた結果として本書が出来上がったことが分かる。途中で数年空いているのは、二冊の単著(『概念と個別性』および『「東アジアに哲学はない」のか』）を出す仕事に追われていた期間であるが、その間も自分の関心は、やはり意味変化の問題にあった。本書のテーマと関連して、科研費17K02155・21K00003による助成も受けた。

上記の中で「*」を付した四篇は、本書の核となる考え方を含んでいる。これらはすべて、松永澄夫先生を中心として企画・編集がされた刊行物に掲載されている。あくまでも自分の言葉で哲学するというのが松永先生のスタイルである。長年に渡って先生の指導を受けることがなければ、本書の元となった考察を展開することはできなかっただろう。本来なら謝辞を表さねばならない多数の人がいるとはいえ、ここでは特に、思索の面で松永先生に多くを負っていることを述べておかねばならない。

もちろん、本書で示した考察が果たして十分に「手作り」と言えるものとなったか心もとないし、内容的にも不備が避けられないことも承知している。この種の書物を公にしても、心温かく迎えられることなど決してないことも。なので、これまで長らく躊躇してきたのだが、やはり今は「かなんところにロマンがある」と期待して、本書を世に送り出す。

本書が書物として成立するには、トランスビューにおられた高田秀樹さんからのお声がけと助言が必要だった。構想に関心を示していただいただけでなく、「行きつ戻りつ進んでいく」（という特徴も高田さんに指摘していただいたことだが）決して読みやすくはない元々の原稿に対して、的確な書き直しの提案をいただいた。結果として、本書は読むにたえうるものとなったと信じる。そして、工藤秀之社長には大変にお世話になった。深く感謝する。

朝倉友海（あさくら・ともみ）
東京大学大学院総合文化研究科准教授、専門は哲学。
京都大学理学部卒業、東京大学大学院人文社会系研究科修了、博士 (文学)。
北海道教育大学准教授、神戸市外国語大学准教授を経て現職。
著書に『概念と個別性—スピノザ哲学研究』(東信堂)、
『「東アジアに哲学はない」のか—京都学派と新儒家』(岩波書店)、
共著に『私たちは世界の「悪」にどう立ち向かうか』（トランスビュー）
などがある。

ことばと世界が変わるとき
意味変化の哲学

二〇二四年二月二〇日　初版第一刷発行

著　者　朝倉友海
発行者　工藤秀之
発行所　株式会社トランスビュー
東京都中央区日本橋人形町二-三〇-六
郵便番号一〇三-〇〇一三
電話〇三（三六六四）七三三四
URL　http://www.transview.co.jp

造本設計　東三田デザイン室
印刷製本　モリモト印刷株式会社

ISBN 978-4-7987-0189-9 C0010

私たちは世界の「悪」にどう立ち向かうか
東京大学教養のフロンティア講義

東京大学東アジア藝文書院・編

朝倉友海「悪をめぐる三つのパラドックス」など、東京大学の新入生に向けて行われた12のオムニバス講義を収録。学問を通して、新たな社会的想像力を育む。　ISBN978-7987-0186-8　本体2700円

私たちはどのような世界を想像すべきか
東京大学教養のフロンティア講義

東京大学東アジア藝文書院・編

災害、疫病、環境、科学技術、宗教……不確実な時代において、30年後の未来を考えるために。〈世界〉と〈人間〉を学問の最前線から捉え直す11の講義。　ISBN978-7987-0180-6　本体2500円

幸福と人生の意味の哲学
なぜ私たちは生きていかねばならないのか

山口 尚

古今の思想家や文学者の言葉を手掛かりに、不幸の可能性から逃れられない私たちが人生と向き合うための思考の軌跡を示し、哲学の新たな可能性を拓く。　ISBN978-7987-0170-7　本体2400円

14歳からの哲学
考えるための教科書

池田晶子

10代から80代まで圧倒的な共感と賞賛。すべての考える人の必読書。死とは何か、言葉、心と体、自分と他人など30の普遍的テーマに寄り添う。　ISBN978-901510-14-1　本体1200円